DREAMING
NEVER GIVE UP
ACTION

創富

創富人生

夢想起飛

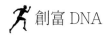

目錄

豐彥財經

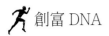

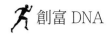

自序：

　　台灣的另一個美麗的稱號叫福爾摩沙，相傳是 16 世紀葡萄牙人航海時發現臺灣時說出：「Ilha formosa ！」（美麗的島！）而得名。福爾摩沙一詞來自拉丁文及葡萄牙文的「Formosa」，原意為「美麗」。二十世紀下半葉台灣經濟快速發展的現象，稱為台灣奇蹟，又稱經濟奇蹟。同時台灣、新加坡和韓國、香港，被稱為亞洲四小龍。台灣不只美麗還帶來奇蹟！

　　曾幾何時台灣的經濟奇蹟不再出現，經濟成長與人均所得遠遠落後當時四小龍的其他三國，現在連薪資水平都幾乎要比不上過去的自己。研究所還沒有畢業的我，就一頭栽入了股票研究，同時也和朋友合夥創業，就是因為不希望自己的勞動所得甚至是腦力所得，被限制在一個固定的框架裡。

　　心中有夢嗎？是的，小時候想環遊世界，想走遍千山萬水。但等到我長大了出社會了，才明白有夢最美，台語說暝夢謀暝夢，希望相隨，台語說希望尚衰。兩點一線變成每天起床後規律路徑，幾點幾分會出現在哪裡，幾點幾分會做什

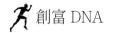

麼，都變成不須猜測的送分題。這樣的日子過久了，抬頭看太陽都覺得刺眼。連下雨，都變成見面寒暄的話題。再這樣下去，連我都開始討厭我自己。

創業是為了找回生命的動力，創業是為了找回生活的熱情；創業是為了心中的理想而奮鬥，創業是為了理念的傳承而奉獻；創業是為了堅守一個價值，創業是為了維護一個信念。只有流過汗的人，才知道冷氣有夠冷；只有流過淚的人，才知道吃飯不要太鹹。

但是當我們要跨出創業的第一步，"創業成功要具備的十大特質"，"創業致富五大要件"，"創業人士必備二十大經典語錄"，"創業成功一定要有的四大基因"。我靠！不就創個業嗎？要搞得好像是要變成國父，推翻滿清創建中華民國嗎？那我要不要能夠看到魚逆游而上啊？！其實在我看來，創業要具備的能力只有一個，就是"初心"，不是粗心喔！捲不捲舌差很多，記得想到創業的當時，一定有一個夢想、衝動、理念、願景，不論是什麼，這就是"初心"。只要初心仍在，創業致富者會具備的條件，就會在我們身上一一出現。

台灣各個角落都有創業成功致富的故事，可能是我們的

4

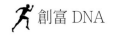
鄰居，我們過去的同事，我們的小學同學，同袍或同窗，不論是誰，只要是在這片土地上努力打拼開創未來的人，都是偉大的小人物或是隱形的巨人。他們不再是書本上的歷史故事，或是遙不可及的神級人物，而是在我們身邊與我們一樣平凡，卻不平凡；與我們一樣普通，卻不普通的創富者。他們身上到底具備什麼樣的"創富 DNA+"？能夠讓他們從平凡中脫穎而出，從普通中閃亮登場。一旦成為"創富CEO"，該如何延續創業的初心？持續打造粉紅色的夢工廠，充滿歡樂、笑聲與回憶。

創業是否能夠致富？並不重要，當你跨出創業的第一步，你已經往致富的路上邁進。

這次的出版計畫，起心動念之初，就已經明白是一個不容易完成的任務，但為了值得傳承百年的故事，我們一步一腳印，一一探訪並深入了解這些感人的創富故事背後的酸甜苦辣，一起體驗人生智慧的真諦。當我們無法分辨臉上的水漬是汗水還是淚水，我們已經在我們的心靈種下了成功與幸福的幼苗。

感謝團隊們的付出與辛勞，攝影團隊不但要上山還要下海，編輯團隊沒日沒夜地趕工，就是為了讓這本書成為讀者

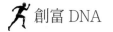

們收到最好的禮物。

　　感謝所有受訪者無私的分享，感謝上天，感謝所有在過程中伸出友誼之手協助我們的好朋友，願上天保佑大家，能夠一起邁向幸福實現夢想！

謝晨彥 博士

和 investU 的各位一起走投資的漫漫長路

《專訪－investU 線上社大董事 JJ 老師》

「今天很殘酷，明天更殘酷，後天很美好，但大部分人死在明天的晚上，看不到後天的太陽！」馬雲曾經如此說道，鼓勵即將踏入社會的畢業生們不要因困難而止步，唯有堅持下去才是正途的心態！而在投資的領域更是驗證了這句話的真確性，如果沒有一顆強大的心臟，很容易在獲利前的損失就黯然地退出股海。

今天我們採訪到，investU 線上社大的投資策略講師－陳駿傑（以下簡稱：JJ 老師），讓對投資理財有興趣的讀者，能了解學習投資理財的重點與誤區，進而掌握自己的投資方法論！擁有 10 年以上操作經驗的 JJ 老師，專長是指數期貨、選擇權、外匯市場策略等等，而除了 investU 線上社大的課程外，也是 2019 年《外匯新手變行家》的共同作者、和《Amoney 財經 e 週刊》的總編輯。

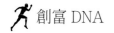

無薪假恐慌，拒絕竹科穩定生活

　　然而 JJ 老師的過去擅長的是機械領域，從大安高中的板金科直到交大的機械研究所，原本計畫畢業後就去竹科上班，成為人人稱羨的科技新貴，因而在研究所時期就接觸了股票，他也向我們分享了第一次就成功的投資經驗，彷彿初來乍到的新手就是如此備受幸運之神眷顧，「當時在交大，想說反正以後就是去台積電配股，那乾脆現在自己就先來研究股票，一開始先投資台積電，剛好巧遇金融風暴過後的 2009 年，從一開始的 40 元，漲到一年後的 80 元！後來就賣掉了，但現在已經飆到 400 元。」

　　而看似正一步步邁向竹科新貴的道路，但卻在最後一步臨時喊停，起因是當時遭遇的金融海嘯，「當時有非常多的無薪假，每天上課路上，都會看見許多學長姊在竹科面前拉白布條，這樣的場景，也讓我開始擔心，難道未來的自己也有可能像這樣嗎？難道工程師的工作開始不如大家想像中的穩定嗎？」

　　於是心裡想著，如果未來的自己遭遇這樣的金融風暴應該怎麼辦？會不會也是要在公司面前拉白布條抗議，去爭取自己的權益呢？對於一個工程師而言，這樣情何以堪？因而

便認知到應該要在固定的薪資收入上，為自己打造另外的開源管道，「我就無意識地將自己投射到他們身上去，所以那時候就想說，是不是除了科技本科之外，我能不能有另外的收入？」

追求為什麼的工科人

而這也是持續學習投資一個很重要的契機，除了研究所最後一年寫論文的時間外，很多時候，JJ 老師都為維持著投資的習慣！「藉由廣泛地涉略投資、金融書籍，以及慢慢嘗試為起步，漸漸地發現，原來投資股票的獲利竟然開始大於竹科工程師的收入，因而作為一個資深的工科人，就會想要深入去了解投資運作的原理，到底為什麼會成功？或者為什麼會失敗？」

於是曾經去上了很多坊間、社大的課程，JJ 老師現在回想起來，他認為很多課程其實都偏向於市場心理學，有很多回顧分析、或是針對未來的趨勢預測，但其實在這些之外，更重要的是學會分析價格變化的前因後果，了解背後運作的邏輯，有系統性的架構才是根本性的學習！因而，JJ 老師也建議投資的初學者，學習的第一步應該就要先評估好所能投入的資金量，在各種策略中也要盡量選擇出適合自己的，然

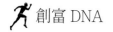

後藉由多方嘗試去深化，不要在還沒熟練時就一直變換各種策略。

《金融怪傑》是 JJ 老師很推薦的系列書籍，裏頭訪談許多成功人士的操作心法，因而不管是初學交易的人、或是已經有經驗的投資者，都可以藉由當中的精神反思自己，了解到風控往往才是最優先的考量，其實會存活長久的人，一定會追求安全下莊，這樣的危機意識才是穩定的最大重點。

高風險的期貨慘賠經驗

說到這裡，JJ 老師也分享了自己後來比較慘烈的投資經驗，這就要從 2011 年的期貨開始說起了，「當時巧遇 311 大地震，原本以為日本能安然度過那一關，想要進去賺一筆，利用市場價值低的時候買進！但後來就錯估情勢，賠了很大一筆。」

因為期貨雖然比股票好賺很多，但相對的風險也是很高，所以如果沒有準備好的話，千萬不要貿然就投入期貨，「其實當時日本的 311 就造成很多人 over lose 掉，後來是因為有在最後的關頭救了下來，才不至於血本無歸，但有了這次的經驗，就覺得應該要好好收斂一點，也要花更多的時

間學習！」

多元而不受限的 investU 線上社大

　　而在研究所畢業，當完兵的同時，JJ 老師也開始陷入生涯的抉擇，當時一邊面試工程師，一邊繼續學習投資理財，後來遇到一位影響他很多的貴人，便決定與對方一起在投資領域創業，也才有了現在的 investU 線上社大，「在投資領域學習中遇到的困難，希望透過新的平台，讓大家有更多學習的機會，不用受限於時間或是空間，想要學習的人都可以在這裡找到資源！」

　　創立 investU 線上社大的種種過程，從網站的建置、教學內容的規劃，所有的一切 JJ 老師就是從頭開始建構，「我自己也有去問網站設計的朋友，初期給我的報價很難去配合，後來好不容易找到符合的需求才開始慢慢做，最初想法有些不同，所以這當中也是花蠻多的時間去磨合。」

　　挺過初期創業的艱辛，現在的 investU 線上社大，學員廣遍兩岸三地，是投資人的最佳學習夥伴「未來希望以投資創櫃邁進，可以變成上市櫃公司，讓學員可以在交易平台上看到我們的股票代號，這是我最大的夢想！」

investU 線上社大

· 電話：+886-2-2726-0178
· E-mail：msfg@investu.asia
· 網站：https://www.investu.asia/

╱採訪後記╱

謝・晨・彥・博・士

　　對初入的新手而言，投資領域的入門檻不算太高，只要辦理好手續，人人皆可下場參與，獲利了當然非常開心，但風險卻非人人都可以承受，因此，初學的階段就應該建立起對的心態，在後續階段才會走得更平穩。

　　訪問的過程中，看到 JJ 老師從機械轉換至金融，要暫別 10 餘年的機械，從頭開始陌生的領域，當中的不適或是挫折，想必一定也是不少，但在訪談中，我們只聽到老師將其微微帶過，或許就如同他鼓勵各位的話：「其實不管在哪個領域，只要堅持下去就一定會有所收穫！」

　　而聽到面臨無薪假的恐慌，當年的新聞彷彿還歷歷在目，竹科工程師在畫面裡抗爭的景象，想必是很多台灣人永遠都無法忘懷的！也因此喚起很多人對穩定職涯的危機意識，畢竟沒有甚麼產業會永遠穩定，仰賴公司前必須依靠自己。

打造老台北的文藝復興

《專訪－京町 8 號 創辦人 Ken》

　　這是一棟已有 80 多年歷史的老建築，現由 Ken 夫妻接手，已然搖身成為一家複合式的咖啡館，然而其實 Ken 夫妻也皆曾是個擁有優渥薪水的上班族，但是什麼契機讓他們決定投入創業，經營一間咖啡館呢？

　　「會創立這家咖啡館其實是超乎預期，因為我與太太真的很喜歡古蹟，所以就決定，好！我們就放手一搏來創業吧！」，對他們來說咖啡館的創立其實是一場美好的意外。

全世界男人最討厭的工作？我與太太一起創業

　　Ken 坦言自己和太太其實原本都有各自的工作，說到為什麼可以做呢，也很好玩，事後才回想到，因為太太在大學的時候有在星巴克打工，所以有非常良好的煮咖啡技術；那自己在大學的時候，在一個咖啡豆的進口商賣豆子，所以對

咖啡豆非常了解，剛好一拍即合就開始了這樣的創業。

「我常跟人家開玩笑說，我選了一個全世界男人最討厭的工作，就是和太太一起工作（笑），而且是在創業的過程當中！」

訪問到這裡，很多人可能會覺得長久的相處容易讓感情變質，或是會因抵抗不了共同創業的壓力而產生衝突，這當中確實隱含著許多考驗夫妻生活的關卡，而他們是如何面對與化解這些難題的？

但是 Ken 卻有不同看法，他認為「在這三年的過程裡面，因為與太太一起工作，反而更了解對方，了解應該怎樣配合、如何把目標建立在共同的點上面，所以其實雖然說會有摩擦，但就算是朋友一起創業也會有摩擦」用樂觀、想辦法去克服這樣子的溝通，是他們夫妻創業的相處之道。

一手打造老台北的文藝復興—京町四番目 8 號的重生

京町 8 號沿襲自當地的舊地名：「京町四番目八號」，在清朝時期曾是台北城中最繁榮的地方；日治時期更是當時

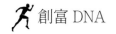

咖啡館文化的發源地，最摩登的喫茶店就在這裡！後來因為都市的發展，人口逐漸往東區、信義區遷移，西區漸趨走向沒落，舊有的傳統喫茶文化也無聲地沒落了，但這裡仍然保留著許多歷史性的建築，承載著整個台北市、甚至是台灣發展的過程，也因此，熱衷於古蹟文化的 Ken 非常喜歡西區，希望可以把年輕人帶回來這個地方，讓年輕人了解在地的歷史情懷。

捨棄穩定高薪，信仰成創業支柱

其實對創業者來講最現實的就是資金的問題，Ken 遭遇過這樣的困境後也坦言：「其實我跟太太一開始原本都有很好的工作，所以呢最反對的就是我們雙方的家人，明明兩個人好好的工作不做，她在外商公司上班、而我在上市電子公司上班，所以雙方的家長都覺得為什麼要這樣做？有好好的、舒服的日子不過？」

但是這幾年一直不放棄地努力，做出成績後也不停止與家人之間的溝通，對他們而言，最重要的是創業所獲得的成就、為了夢想而努力的過程，是以前當上班族也換不來的美好體驗。

「因為我們夢想把人帶回到西區！雖然聽起來有點大，

16

但這是我們創立這家咖啡館最主要的目的。」看似遠大的夢想，背後必須有著強大的力量，去支持 Ken 夫妻在創業路上的種種難關，像是宗教就是一種方式。

「在沒有工作的時候我們會一起聽詩歌、讀聖經，那甚至是參與一些教會的活動，那這個其實對我們來說，讓我們可以有放鬆的感覺；或是有更好的溝通，也就是說信仰其實也是創業過程中一個很重要的支柱，可以抒發壓力。」

「而且其實曾經有一段時間，我們夫妻很享受把餐點端到客人面前，客人驚訝地發出「哇喔！」一聲的樣子，會給內心帶來很平凡但很直接的滿足，這是我們希望帶給大家的享受，也是在工作當中所獲得的滿滿成就感。」

以工設專業，重現日治老屋風華

於是在老城區意外發現的老屋，開啟了咖啡館的改造之路，利用工業設計的本業專長，將舊有的老屋空間打造成開放式格局，原本為了防盜而加裝的防彈玻璃、厚重的牆都全數拆掉，周圍是 80 年前非常珍貴的洗石子牆，雖然有些破損的樣子，但這也標誌著這棟房屋曾經歷過麵包店、電動車行、文具店等不同階段的歷史，完整體現出日治時期的生活

氛圍。

然而這間老屋的設計十分特別，也引起了大家的好奇心，當你走進這家咖啡館，你會發現這裡有兩個可供出入的門，在前後對開的情形之下，店內空間變得十分開闊，周圍的古蹟建築群望眼即見，但這在一般的台灣商家中十分少見，甚至會有風水上的問題。

為了解釋這樣的疑慮，於是 Ken 便分享了當初著手改建的過程：「一開始其實無法決定要開哪邊的門，有想過不然開博愛路好了，因為面對郵局的人潮比較多；動工時，正值最熱的國曆七月，剛好也離農曆鬼月很靠近（笑），一般人都會有些禁忌，但是這不重要，重要的是前後門都打通之後的感覺，我站在中間突然覺得，欸！一陣涼風吹進來！」

「我們處在市中心這個區域，旁邊林立的金融業工作壓力一定非常大，如果他們在工作之餘，能坐在我們的店裡面吹著自然風，是不是很棒？突然有種你在度假的感覺，所以我就馬上改了我的設計圖，把前後門都開，然後做成拉門式設計，希望人家可以來到這個咖啡館，不只在這個非常聚集的市中心有一個放鬆的地方，在這裡面可以很放鬆地、很自然地欣賞這些古蹟。」

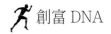

也因為這樣的設計讓 Ken 榮獲了 2017 年的老屋新生優等獎！老屋新生獎起源於 2012 年，一開始為了表揚老舊房屋的保存與維護成果而創立，後期在各方的努力下，改造老屋已然在台北形成一股復古的新風潮，重獲新生的老屋也成為地景與文化中不可或缺的部分。

京町 8 號保留了原本的民宅特色，同時也透過重新調整店內空間的樣貌，體現出復古中兼融創新的風格，是獲得評審青睞的一大原因。

常保創業初心，克服創業艱辛

最後 Ken 也有一些話想鼓勵正在創業的人們：「創業真的非常辛苦，不管是營運上或是資金上的調適，而我要跟大家分享的是，你要去記得當初為什麼要做這個事情！可能會因為每個不同階段而去改變思想或是思考的方式，但是想要成功的決心是不變的，你想要帶給大家的享受和感官也是不變的，創業真的很艱辛，但是在艱辛過後，自然會有你期望或是你想得到的，不管是成功也好、經歷也好，這些經驗都是屬於你的。」

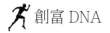

京町 8 號

· 電話：02-23812388
· 地址：台北市中正區博愛路 8 號
· 臉書：https://www.facebook.com/KyomachiNo8/

／採訪後記／

謝·晨·彥·博·士

　　剛踏入京町 8 號咖啡就被整間坐滿客人的熱鬧氣氛嚇到了，因為座落在台北郵局對面的京町 8 號咖啡，旁邊既非鬧區，也不是位在商辦大樓林立的商業區，更何況，我們訪問當天還是在周日的下午。看到 Ken 以及美麗的老闆娘跟客人之間的互動，以及聞到陣陣的咖啡香，馬上可以理解，不只咖啡好喝，創業者與客人熱情的互動，同樣會挑起客人想要再度光臨的想念。

　　就如 Ken 所說的，努力堅持莫忘初衷！或許只有在持續堅持創業當時的理想下，才有動力不斷地要求自己成長到足以扛起一家店吧！假日時，如果大家有空，不妨坐捷運到台北車站，在走到台北郵局對面，到位於延平北路上的京町 8 號咖啡，點一杯拿鐵，坐下來靜靜地欣賞看著周圍的古蹟，一邊啜飲著香醇的咖啡，一邊看著古蹟，進入時光隧道懷古幽情。

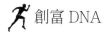

川劇變臉與魔術的神奇結合

《專訪－魔術師 神奇傑克》

「那個音樂，就是乾坤大挪移，來！老師下個音樂，變變變變變，好！Okay，那之後我會講老師音樂停，最後再把時間交還給我們的主持人～～～」只見一個俐落身影正在舞台上彩排，嚴謹地調整著身體所需要轉折的角度、環視周圍環境的準備狀態，同時不忘向工作人員叮嚀音樂的正確落點，整個人看起來，精神清朗、元氣十足，畢竟表演是他熱愛了一輩子的事。

他，是神奇魔術師傑克！「這真是太神奇了傑克，史無前例從來沒有，請打螢幕下這個電話，如忙線中請您稍候再撥，等您來電。」這句廣告台詞，是許多人對傑克老師的第一印象，你可能沒有在現場看過老師的表演，但你一定聽過這段曾經家喻戶曉的逗趣幽默男聲。

22

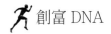
因喜歡而成就創業中的熱情

　　以表演為業的傑克老師，在這個領域已深耕逾 25 個年頭，將人生中最光輝的歲月，全心奉獻給了表演，迄今已走過 4 分之 1 個世紀，好奇老師在這中間的過程，是如何堅持下來的呢？

　　「任何出來創業的人基本上一定對這個行業要充滿著高度的興趣！還記得以前，國小的時候，如果說話、作怪、吵鬧不是都要被標正字嗎？後來老師覺得我真的很吵，就叫我去演講比賽，那我就從國小、國中、高中，都在參加演講比賽，也參加過康樂表演，漸漸地也在同學當中得到小小的成就感。」

　　「所以後來我就會自己開始準備起表演，我發現我真的是一個很喜歡表演的人，因為你熱衷、你喜歡、你就會去研究，就算沒有錢你也會去做，這就是創業中很重要的熱情。」

　　另外，傑克老師也提供大家一個方法，可以檢測自己對這個行業到底有沒有興趣，畢竟年輕人如果只是懷著眼前的一頭熱，在那個領域其實也無法久待「假設你去應徵一個工作，但它沒有錢喔！一般人一定不要啊，但是如果今天喜歡

表演的人，沒有錢我也會去做，比如老人院、或是特殊兒童的院所，就算是沒有錢，我也會去做，因為我喜歡表演！」這也說明了，自我了解的探索之路是非常重要的，要試問自己是不是真的很喜歡？畢竟到最後會支撐你的通常是那顆不變的初心。

抓準學習資訊差，把握領先機會

「早期在學魔術的時候其實非常辛苦，光是買學習的光碟，一片就要一千五到兩千左右，但是你不知道裡面是什麼，其實買魔術教學片和買 A 片是一樣的，你永遠不會知道裡面是什麼東西，它也不會告訴我啊！」

「像是飛行的絲巾，可能你就是買到一條絲巾、一個道具就這樣子，那當然它會告訴你應該怎麼做，但因為有時候是英文、有時候是西班牙文，很複雜啊，你就是純粹靠感覺，然後一步步去練習。」

「透過國外的原文書資源，一次一次慢慢累積，像滾雪球般慢慢擴張自己的知識，但是當我們都學到東西後，你發現資訊越來越豐富，沒有人在用 VHS 了，後來發現你會的東西別人也會了。」所以如何彌平與同業之間的資訊差就很

重要，你只需要更快一點點就好，就有機會去創造自己小小的市場。

經歷過從 VHS 帶、VCD、到 DVD 等等不同影音傳播媒介的時代，老師開始細數過去學習魔術的艱辛歷程，在教學資源不豐富、且品質參差不齊的狀況下，過去的他依然把握著每一次機會，只為了讓自己更加進步、才能持續往前，在業界中開創新的藍海而持續領先。

從主持到川劇變臉

「最早一開始我是做主持，因為我主要是靠臉蛋啦，但後來想除了好的顏值以外，我還能提供什麼服務給客人（笑）？我們能不能比客戶的期待再多一點點，增加一點巧思和用心呢？於是就從小秀開始慢慢加，後來也學做造型氣球、模仿口技、講笑話、問問題、謎語等等越來越多了，變得更加有趣！我多做這些東西，就會比別人有更多機會，於是就有了多一點可以從同業中脫穎而出的籌碼。」

主持、到跨界小魔術：從十分鐘的小表演，到整場魔術秀的機會，看似一路順暢的魔術師之路，傑克老師卻突然出現了職業上的困境，魔術師的表演似乎已經到達了某種臨界

點，且難以突破。

　　在得到許多機會後，開始學著把自己歸零，試著臣服於自己的心，而與自己展開對話，「我開始試問自己，回歸到最後我喜歡的是什麼？不一定要表演西洋的，因為我大學念的是國劇系，學的是京劇！中國的傳統文化－生、旦、淨、末、丑我都非常喜歡，所以我就想能否將這些傳統文化和魔術結合在一起？然後就想去學川劇變臉，但是傳統的變臉是不傳承的，那麼萬丈高樓平地起嘛！我在沒有任何資源的情況下，就直接先飛到四川再說，其實飛過去的時候已經先贏一半了。」唯有認真地審視自己，未來的模樣才會更加地清晰。

　　「在當時其實有約三位到五位魔術師，我們想找大家一起去，想說可以分擔一點費用，但是到後來只有我一個人去，當初約好要去的人，有些後來也漸漸淡出這一圈了！像是淡旺季差太多的人、開始組家庭後會想追求工作穩定的人，就會漸漸有自己其他穩定的生活而離開魔術圈。」

　　其實這樣的決定並沒有對錯，但傑克老師用堅持，替自己換來職業生涯的另一種可能，而且十分成功，川劇變臉的技法已經成為老師的一個代表之作。

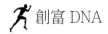

夢想的千里之行，依然始於足下

　　接著，傑克老師強調自己創造環境的重要性，要盡量多往有機會的地方去走，「如果你有想法，你就不應該在家裡，有想法或是有創意，你就去做！不管做了多或少，反正就是做！」

　　「如果你只會空想，其實是沒有用的！就算沒有成就你也走出去了，這過程中不是得到就是學到，因為你不一定會學到大師的技巧，但是你會看過大師的作品，如果你有想法的話，就應該去走！」很慎重地想把一件事情做好時，你可以大膽冒險，之後一定會有所獲得，不要擔心。

神奇傑克活動有限公司

- 電話：0932922044
- E-mail：party555party@yahoo.com.tw
- 網站：http://www.magicjack.com.tw

／採訪後記／
謝·晨·彥·博·士

　　第一次知道神奇傑克是在一篇雜誌的報導上看到，得知他是第一位台灣遠渡重洋到四川，學到不外傳川劇變臉的魔術師。當時看完這篇報導，真想一睹這位傳奇人物的廬山真面目，好好深入了解這樣一位不畏困難，務必要使命必達個性的人，到底具備什麼樣的 DNA？後來有幸幾次在媒體的尾牙宴會當中，跟他相鄰而坐，有了交流的機會。也因為後來豐彥財經舉辦春酒，特別邀請他來宴會當中表演，竟讓我倆成為異業領域的好友。

　　每次看神奇傑克的表演，都有一種耳目一新的感受，就如同神奇傑克所說的，只要願意比別人多想一步，就能創造出不同凡響的作品；只要給客戶比他想要的多一點，就能讓客戶得到無比的滿足。我想這就是他會成為一位偉大魔術師的地方，因為他永遠比我們想得更多一些。

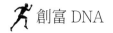
為解決問題而生的先鋒者

《專訪－禾貿管理顧問公司 總經理吳岳展》

全球頂尖的管理顧問公司，例如 McKinsey & Company（麥肯錫）、Accenture（埃森哲）、Boston Consulting Group（波士頓諮詢）等，在大眾眼中總是蒙上一層神秘的色彩，外人甚至流傳著：「那裏是一群天才所聚集的地方」這樣的一段話；而在每年的畢業季，更是有許多來自全美 MBA 名校畢業的高材生，對管理顧問公司懷抱著高度的憧憬，以至於形成眾多搶手職缺的錄取率比常春藤名校還低的高競爭現象。

「如果上帝決定重新創造世界，祂會聘請麥肯錫。」曾有《科學》雜誌的記者如此描述管理顧問公司，甚至連政府官員、企業的高階主管都要聽從他們的建議！你是否好奇天才所從事的工作到底是甚麼？為何會擁有重新創造世界的力

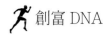

量？我們今天邀請到禾貿管理顧問公司的吳岳展總經理，來分享他的創業之路，替我們解開有關管理顧問公司的層層面紗。

跑車、健身與香檳的燦爛生活

挺過創業過程中種種不足為外人道的艱辛，現在的吳總經理過著他的燦爛人生，跑車是男人生活的必須、健身是為了追求更好的體態、而香檳呢？則是一種 C'est la vie 的淡然處世哲學，就連訪問期間香檳都是不可缺少的重要存在，於是就伴隨著淡淡的酒香，開啟了吳總經理創業之路的訪談。

創業過後，才知應及時守成

一開始，吳總經理就以自己過往創業的經驗為例，警惕現在的創業者們，先別急著吃棉花糖，以及忍耐的重要性！「因為當時創業了，有賺錢時就想花錢啊！但以前太過海派地花，所以如果要給現在年輕的創業者一點建議，我反而會鼓勵大家延遲享受，要去延遲成果的到來，先別急著吃棉花糖。」

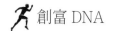

「或許有人會覺得我這中間幾年來的轉換很大，然而對於任何一個企業而言，業務還在成長的過程中，可能現在很順暢，但是你永遠不瞭解未來會發生什麼事情！所以這就很重要，要高築牆、廣積糧以備不時之需，因為有錢而過度揮霍，其實是不太聰明的做法。」別因為一時順利而就此鬆懈，有危機意識的人才能是危機中的倖存者。

「高築牆，廣積糧，緩稱王」，這段話的典故起源於明太祖朱元璋，在他還尚未稱帝，行軍困頓正愁眉不展之際，有幸可獲一老者的忠言勸告，此段話意味著若要有所成就，首重固本圖強、其後乃是培養海納百川的氣度、最後更要靜心以待，以順應時機做出正確決斷，切記萬萬不可躁進，唯有具能忍之志，才能成就一統天下的格局，而後明太祖更將此段話謹記於心，領略到韜光養晦的重要性。

同樣地，這句話對於創業者也有著啟發的功效：首先、必須確立好自己的停損點，唯有做好管控風險的第一步，才有再繼續往下談的可能性；接下來、開始累積資金，嘗試各種管道以擴大自己現有的現金流；最後、也就是最重要的一點，必須靜待好時機，才能在對的時間點內完成決策。所以透過吳總經理過往的經驗談，也是讓大家警惕自我的一種思考方向，在變化莫測的商場上，靜水流深絕對是一門必要的

功課。

鑑古明今，學習選擇的彈性

我們也看到公司的牆面上有一片大書架，布滿了各類的書籍與經過長年收藏的酒，其實吳總經理是個愛書人！架上藏書十分豐富、種類極廣，諸如商業、經濟、管理等等，然而比較特殊的是，當中也藏有幾套特別顯眼的歷史類書籍，像是《秦始皇傳》！

總經理認為「像是歷史人物中所遇到的事情，是會一直不斷地不斷地重複的，所以我們可以學到，即便客觀環境不是那麼的相同，但是在心境上是會有很多相似之處，」

「其實你如何定義一個人的成功，例如秦始皇你會怎麼看待？認為他是成功或是失敗？這很難說，但是當他在做一個選擇的時候，他怎麼做選擇？同樣的情況若是我們，我們能否做到？又會如何做呢？也因為這樣的思考，我很喜歡其他的歷史人物所帶給我們的啟發。」

其實歷史事件千經百緯，但人性互股皆然，因此，歷史深具借鑒的意義，尤其是人物類傳記，更是可以引發深入思

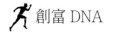

考，透過揣摩各種角色在面對轉折中的心境變化，會提供我
們更多選擇上的彈性，在了解時代背景之餘，能夠與過往的
靈魂產生共振，這更是學習歷史的珍貴之處。

從平民皇帝漢高祖看創業學

　　說著說著，更是激起了吳總經理對書的愛好，於是便推
薦了一些書給創業者們參考「在這麼多書當中，秦始皇、漢
高祖劉邦的傳記等都是非常開卷有益的推薦書目，也可以提
供給各位讀者做為模仿的對象。」

　　「你可以去看漢高祖的生平，看他是如何從一無所有走
到中國歷史上第一位平民皇帝？如何從一無所有狀態之下的
創業者，仰賴著用人的智慧去建立一群團隊，進而走向帝王
之路？」

　　「這中間一定有很多的路是值得我們學習的，書裡面可
以看到很多道家的思維，漢高祖其實一直順應著時勢去走
（編按：你說 Uber Eats 嗎（笑）？）」從平民出生的漢高祖，
善於廣納人才、力推仁政，到後來完成一統天下的霸業，也
應證了有能力者得天下的道理，是時勢造英雄的最佳例證。

34

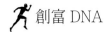

前仆後繼的創業路，要倒就要往前倒

"Never be discouraged. Never hold back. Give everything you've got. And when you fall throughout life. And maybe even tonight after a few too many glasses of champagne, remember this - fall forward."

Penn's 2011 Commencement Address by Denzel Washington

在訪問的最後，吳總經理用一位美國知名演員丹佐華聖頓，於 2011 年在賓州大學的畢業致詞中的一段話，勉勵大家，「永遠不要覺得氣餒，永遠不要因恐懼而退縮，付出所有你能給予的吧，當你在生命的旅途中遭遇到挫折，說不定就是在今晚，多喝了幾杯香檳之後，請記住一件事情：要勇敢地去冒險！」

勇敢嘗試、要跌倒就該往前倒！不要往後倒，創業是一個前仆後繼的過程，其實很孤單，「對我來說，我想追尋自己想要的人生意義，因為如果都不去追尋任何一個新的東西，這其實會浪費掉上天給我們來到這世界的意義，所以創業其實也是追尋人生意義中一個很重要的過程。」

禾貿管理顧問公司

· E-mail：vincent010005@gmail.com

謝・晨・彥・博・士

　　禾貿管理顧問公司總經理吳岳展，雖然不到 40 歲，但是創業的歷程卻已經長達 20 年，大學時期就開始了他的創業之路。訪談時，吳總經理也坦承，建立第一次事業時真的太年輕，滿腦子只想要賺錢。不過出來創業，大家都是為了賺錢，郭董是如此、蘋果電腦的賈伯斯亦是如此，許多成功的企業家也是先想報酬再談理想，因為有了資金，才能實踐創業的理想。

　　鴻海集團前董事長郭台銘先生曾經說過「第一個 10 年，要務實一點，要為錢工作，不要太高調；第二個階段是為理想工作，第三個階段才是為興趣而工作。」如果套用郭台銘先生的說法，其實現在吳總已經進階到事業的第二階段。

　　更重要的是，即便事業已經發展到現在的規模，吳總經理仍然擁有強烈的學習心態，願意不斷嘗試新的事物，並從中摸索探尋新的商業機會、合作夥伴，來為公司擴大業務。

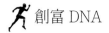
務實研發的奈米創新之路

《專訪－明里科技 行銷總監彭嘉輝》

Why cannot we write the entire 24 volumes of the
Encyclopedia Britannica on the head of a pin?

Richard Feynman，1959

　　「我們為何不把整套大英百科全書，記錄在一個頭針上呢？」於 1959 年的一場演講，美國知名的物理學家理查・費曼，率先向大眾拋出奈米技術的概念！他認為未來人類將可藉由操控小規模的尺寸，在材料上出現嶄新的應用。

　　而在 2019 年，奈米科技 (Nano Technology) 更是已經蓬勃發展，在這幾十年形成新一波的產業革命，明里科技股份有限公司 (AKALI Technology Co., Ltd.)，主要是以奈米科技的技術創新、開發，融入生活的各個面向，包含健康護

理、汽車護理、奈米自潔塗料、自消毒奈米鍍膜、自修復鍍膜等，並同時以 AKALI 為品牌，成功將產品銷售到全球市場，今日，我們很榮幸地邀請到明里科技的行銷總監－彭嘉輝為我們分享他在奈米產業一路上的創業歷程。

TFT 景氣低谷，決定自主創業

從大學到研究所一路上都是念電機的彭總，甫畢業後即踏入外商公司從事半導體應用，在剛開始出 TFT（Thin film transistor）時，先待在美商 Motorola 半導體一段比較長的時間，一開始以應用領域為主，後才轉為行銷，如此半業務半技術的工作型態，在職業生涯的開端，即與一般工程師的典型路徑有所不同。

後來轉到日商川崎微電子 (Kawasaki Microelectronices INC.)，擔任亞太區產品技術、銷售策略的總監 (Product Marketing Director)，但正巧遭逢 2008 下半年的產業風暴，TFT 半導體產業開始急速下滑，尤其到 Q4 更是嚴重，也讓公司原本來自友達、奇美、三星等公司的訂單更是直接消失，在資金和營運接連都出現問題的狀況下，公司便決定關閉日本工廠，彭總所待的部門則是於 2009 年的 3 月正式被解散，在休息一兩個月之後，於同年 6 月決定走向創業之路。

依循市場經驗，放眼奈米前景

　　但為何要在歷經產業風暴後，快速創業呢？彭總解釋，隨著景氣起伏原本就是半導體產業的常態，但也因為過往工作所累積起的經驗，對於產業、市場的發展和趨勢頗有一番見解。

　　「我們接觸很多市場和廠商，比如台達電、光寶等都是我們的客戶，那時去找他們，難免都會小聊一下，因為半導體 PC 主要是台商。這產業波動很大，景氣好吃香喝辣，景氣不好把部門裁掉很正常，2000 年有一次、2008 再一次，就是起起伏伏的，我們對這心裡有準備，合併倒閉很正常，尤其日商半導體公司合併的更多，這幾年來很常三四家併成一家。」

　　「所以聽到工廠關閉，也不是很驚訝，所以就決定自己創業，這樣可控性更高，而且外商一般來說，不管多大職務，大概 50 幾歲就要退休，如果能創業的話，中間一定能做很多事情！」

　　「60 幾歲到 90 歲還是人生的黃金時期，經歷過 30 年的磨練，做決策相對較準確，對社會貢獻會更大，可能創業也

是一條路，一個更好的選擇。雖然當時已經有很多人在做奈米產業，但仍停留在尚未商業化的實驗階段，看準了中間的商機，還是決定投入。」看著日商公司的大起大落，加上人生規劃的考量，讓彭總動起創業的念頭，毅然決然地投入全新的奈米科技領域。

奈米技術的新嘗試

現今的奈米科技，是利用材料在小尺度的情況下，所產生的截然不同的物理、化學特性，並以這個基礎所產生的新機能，發展出突破的技術，也因此現代奈米科技的出現，打破了許多不同領域的界線，在醫療、生技、工程等領域，有著廣泛的應用，明里科技就是看準了這一波趨勢，以奈米的智慧材料，在新興市場中站穩腳步。

堅持節儉、度過 5 年資金低潮

在創業後，馬上面臨資金的初期門檻，尤其從事研發更是需要大量資金的挹注，公司草創初期還沒有產品，也無法立即找到客戶，而就算是積極與客戶聯繫，通常也都沒有回音，這樣的創業低潮，明里公司經歷了長達 4、5 年之久的時間，但公司選擇以專注於研發來解決這樣的問題，只做最

主要的元件，其他方面則盡量節流，藉由外購和代工節省多餘的成本，藉此穩住公司的財務狀況。

「中途過程是很辛苦，錢快燒光了但你不知道哪裡有業務」提到草創初期的艱辛歷程，彭總對於過往選擇相信公司的家人、夥伴內心十分感激。「這其中公司其實增資過兩次，但有家人的支持，更重要是股東也很理解，連續虧錢很多年沒有抱怨，因此這方面是蠻正面的，之後過了幾年之後，很多事情慢慢改觀，客戶慢慢進來，像是美國、歐洲、西班牙，香港等等，達到損益平衡後公司才開始賺錢。」

跨領域的做中學－參展、關鍵字

此外，明里科技更是抱著冒險的精神，不斷將公司的產品往外推銷，增加更多曝光機會，讓公司團隊對外接觸，更是使企業成長的一大助力「其實一開始就已經做好長期抗戰的準備，之前以台灣名品到大陸各大城市去參展，參展中，一邊找尋當地的合作經銷商；另一邊大量接觸消費者，聽取他們對產品的意見，經過十幾次展覽，不僅建立起當地的銷售管道；同時對市場的產品規格需求也有更清楚的認識。」

當時，讓技術人員到現場直接進行解說，面對面與顧客

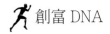

直接互動，但結果卻不甚理想，對於一群理工背景的同仁來說，這是一個新的難題，要如何將公司產品說到令客戶聽得懂、要如何在網路世代精準行銷、尤其又要同時面對著大陸廣大的市場？這確實需要時間不斷地練習

「要開始學習如何面對群眾、還有消費心理啊，一年大約 6 個展，3 年下來 20 幾趟，多次下來，你也比較熟練。另外，我們其實是台灣經貿網的會員，同時也在阿里巴巴、youtube 等網頁，學習下網路關鍵字，只要時間夠久了，你的關鍵字就會擺在前面。」

明里科技 (AkaliNano)

· 官網：www.AkaliNano.com
· 電話：+886-2-2758-4890
· E-mail：suppport@AkaliNano.com

／採訪後記／

謝·晨·彥·博·士

　　來到明里科技位於台北世貿一館的展示中心後，彭嘉輝總監便神采奕奕地上前來打招呼。台灣的半導體產業的蓬勃發展，可以說是理工人的驕傲，而彭總監正是經歷過這個產業成長期與高原期的大前輩。然而，在這個伴隨景氣起伏大起大落的產業，2008 年許多科技新貴面臨無薪假的壓力，被迫做出去留的抉擇，而彭總當時在外商已是高階主管職，仍毅然決定自己出來創業。或許你會認為「高階主管職在業內應該累積不少的經驗與人脈了，有這麼多資源，出來自己做應該會輕鬆很多。」不過，創業與受雇於人最大的不同就是「無論事情的大小，樣樣都得親力親為。」

　　正如他所說「60 幾歲到 90 歲還是人生的黃金時期，經歷過 30 年的磨練，做決策相對較準確，對社會貢獻會更大，可能創業也是一條路，一個更好的選擇。」這種不被年齡束縛，一心想要回饋社會的精神才是最令人佩服的，這樣的精神也是每一位創業成功人士身上都會具備的 DNA！

領航業界的舵手，攜台灣五金業前行

《專訪－蓋澤工業 總經理郭旭晏》

「不算是從零開始，但也差不多從十趴啦（笑）」說到過往的職涯歷程，郭總經理豪邁地笑著，細數著從仲介、電梯、電動機具、到門控產業多年以來的經驗，看似不停轉換跑道，但卻都在無形中奠定了他在營建產業的厚實基礎。

蓋澤工業的郭旭晏總經理，是在彰化長大的台南人，爸媽都是老師，大學念國貿，出社會的第一份工作是仲介，但一開始因為受不了仲介不合理的高壓環境，只做了一年，後來在一間瑞士的電梯公司，經歷結婚、生小孩等過程，並在這個公司待了 9 年，更從一開始的基層員工晉升到了部門主管。

並在 2015 年，被挖角到現在的蓋澤工業，與此同時，

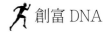

雖然歐洲最大的門窗五金集團也有向郭總經理釋出 Offer，但是經過再三考量後仍然決定加入蓋澤。

我的嗜好就是晚上留下來加班，真心不騙

從基層員工，努力到現在的總經理，郭總經理不諱言地說，他的興趣其實就是加班，加班對他而言是最舒壓的一種方式，可以利用晚上待在公司的時間，一邊聽著柔和的音樂、一邊處理白天處理不到的公司事務，並且能即時回覆顧客晚上的詢問電話，能把工作處理完，這件事本身就已經非常紓壓。

「我認為工作與我個人之間是沒有分別的，所以我喜歡與客人吃飯聊天，喜歡一個人在夜晚加班，這些都是讓我感到開心的事情！我的客人都可以在晚上的 6 點到 9 點從公司找到我，他們常說我太拚，但是我會說我是在養生休息，我想當過老闆的人應該都會懂我的感受。」

當業界領航的舵手，帶領大家前行

蓋澤工業秉持著德國工業對品質的追求、務實的實事求是精神，已經拿下許多台灣的高端建案！「蓋澤就是不斷地

做台灣高階的建案，越高級的做越多，像是『信義聯勤』，或是大家所熟知的在信義區有一棟旋轉大樓，連超跑都能直接開上樓的『陶朱隱園』，我們的經銷商已經拿到了這個案子，裡面的樓層、公共空間等等都確定要給我們做。」

談到公司未來、業務近況，郭總經理拿起手邊的筆，就著紙開始畫起草圖，認真地架構起要說明的方向「我們覺得德國很厲害，但是德國覺得自己還好，他們只是覺得自己應該要做到這樣的東西，當台灣人安於業界標準 50 分的時候，我們做到 95 分的標準，算是設立一個標竿，並不是覺得自己很高貴，而是想讓台灣漸漸成長的市場，慢慢跟上來。」

日常工業用品若以品質高低排序，先是德國、美、日、再來是台灣的 CNS，所以蓋澤身為德國最大的門控公司，對產品的要求、和複雜性更是不在話下，它的地位就像是汽車界裡的雙 B 跑車，讓人一想到高規格與品質就會想到蓋澤。

讓壓力當助力的野蠻生長

「我想當 leader 或是 manager 不管在哪個領域，想要一直不斷地往上走，爭取越來越大的責任；並承擔隨之而來的壓力，並努力朝卓越的高度前進，直到當工作已經成為像

呼吸一樣的日常生活，就連加班都感覺是抒壓的時候，我想我一定會是一個卓越的 leader。」在大學的英文演說課時，曾被老師問過的未來的夢想，當時郭總經理的內心就是這樣子的想法，現在看來，如此的未來規劃就是郭總經理不間斷地挑戰自我的上坡路。

相對的，在往上走之後，隨之而來的是翻倍的責任，尤其在台灣的許多公司，升職之後的薪水與責任往往不成比例，此時該如何克服，或是應對？「對我來說，只要有位置我就要一直往上，我當然知道裏理會很辛苦，每一層壓力都很大，但我覺得身為一個貿易人、業務人，我們要不斷往上走，整取更多資源、作更大的生意，追求越高越遠越卓越，而成功都會是隨之而來的必然成果，這是我的想法。」

而提到工作上的成就感，郭總經理用三層不同的階段來討論：

剛開始成功時，第一層最先感受到的是物質上的提升，開始可以做一些過去做不到的事情，像是出入可以坐商務艙、有錢買名車和房子等等；而之後第二層感受，感覺所說出的話都比過去有影響力，人們會安靜下來聽話，漸漸變得被重視與被尊敬；第三層感受，則是使命與責任，會想透過

改變，讓業界的系統變得更正面、讓每一個人可以享受到高品質的無障礙環境、讓每個小孩在這樣的環境中可以平安成長、快樂生活。

盼制度先行，完善整個產業

台灣目前的五金產業，尚未建立起完善的制度，品質不齊、管控不佳，而國人對於建築規劃設計等的安全也沒有太大的意識，但這中間其實會衍生不少問題，郭總經理也和我們分享了幾個小案例：

「你看一個自動旋轉門它在轉好像很自然，但其實背後需要有很多生效的安全機制才能確保它的安全！曾經看過一家五星級飯店，門口旋轉門的安全機制像是：感應器、緊急開關、壓力感應膠條，竟然全部因為年久失修而失效，你就看到那裡有一個老門僮顧著，遇到年老的或是小孩子，阿伯就叫他們走其他門，當下會覺得很恐怖，這根本就是一個行動的絞肉機！」

「有個客戶，是個國際知名銀行，銀行的門故障了，不能關，因為看到門上的商標，才知道我們公司，竟然還要google 才找我們修理，你不覺得很恐怖嗎？電梯、汽車你都

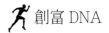

會定期檢查，那位什麼自動門你就敢讓它不檢查？十分的危險、一百分的危險都是危險！」

　　歐洲有一個年度的檢查，但台灣就是沒有，所以意外很可能就是會這樣發生！其實在德國公司，會有一半的營收來自服務，藉由固定的檢查以確保安全，其實如果你有這樣的服務，也能讓區域的公司增加業務與客源，而不是像台灣現在的樣子，到了有問題的時候才修，而發生問題的時候通常都來不及。

　　「我希望每一個人進出自己的家門都可以很放心，我想建立台灣自動門協會，在這個領域有話語權，建立一個監督機制，影響法規」這也是郭總經理心中最柔軟的一塊，期盼能藉由自己的專業，去影響法規，進而讓公眾的生活更加安全。

德國蓋澤工業台灣分公司

‧ 臉書：https://www.facebook.com/geze.twn/
‧ 電話：0934000568
‧ E-mail：s.kuo@geze.com

/採訪 後記/

謝・晨・彥・博・士

　　「戲棚底下待久了，主角自然就是你的。」這是用來鼓勵新進人員的一句話，不過，這次與郭旭晏總經理訪談的過程中，讓人覺得這句話只對了一半。不論是受雇於人還是經營自己的事業，不願意承擔責任的人，不管在戲棚底下待多久，主角永遠輪不到你。

　　訪談過程中郭總經理形容自己是在經營「郭旭晏」這個品牌，一點都不覺得自己只是聽命行事的僱員。大學求學期間被問到未來想從事哪一種行業，但是對郭總來說不論從事哪一種行業，都要追求卓越登上最顛峰。正是這種精神讓他在德國蓋澤工業從基層職員一路爬上總經理。這個過程可不是只把份內的事情做完撐到年資足夠就好，而是不斷勇於承擔超過自己職務的責任，也因為這種想法，工作對他來說已是生活的一部分。

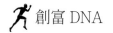

工程與芳療的跨域人生

《專訪－ AromaGrace 芳療 創辦人 Silvia》

從理性跨域感性的開端

　　從現在的芳療師，轉而回過頭檢視著過去的自己，Silvia 很有自信地說著最初在電信業的工作歷程，很明顯地，那是一段會令她感到驕傲的歲月。

　　2003 年原本在中華電信擔任專案工程師，負責執行 Sim 卡的業務，那時的 3G 專案正如火如荼地進行，兩百億的整體規模，光是中華電信就佔值了百分之一，但合作夥伴遠在新加坡與法國，而台灣卻只有 Silvia 一個人負責此項業務，「工作時間非常的長，壓力非常大，那時候開始失眠，很常

從躺到床上開始直至清晨 5、6 點，才會睡著，但該睡覺的時候卻總是一直想著工作上的事情，頭腦不停地在轉，之後開始要靠安眠藥才會得著。」

「因為我是工程師嘛，所以我就開始 google 啊，我還這麼年輕，就這樣吃下去會不會有甚麼對身體不好的副作用？所以之後就看到了芳香療法。」因為要協調與合作夥伴間的時差問題、大量不確定業務所形成的壓力，導致 Silvia 開始失眠，為了避免長期服藥的副作用，在因緣際會下接觸了天然的芳香療法。

但一開始的經驗，總是先從失敗開始談起，最先在夜市買到了假的精油，發現自己竟然會因為劣質的香氣而流鼻血，後來才透過當時的椰林風情（現今 PTT 的前身）找到真的天然精油，Silvia 回憶起這段故事，也覺得當時的自己真的是好氣又好笑。

紐西蘭打工度假，意外展開第二人生

當時非常順利地完成了中華電信的專案，於是拋開工作上的一切，踏上台灣第一屆的打工度假，遠赴紐西蘭的薰衣草農場一年，而為了排遣可能的無聊時光，特意帶了一本很

厚的，覺得自己怎麼樣也念不完的一本書－《芳香療法大百科》，想著或許至少可以把這香香的東西弄懂吧，但也剛好因為這本書，銜接起了後續與農場主人的奇妙緣分。

在紐西蘭過著打工換宿的日子，Silvia 不算是刻意地尋找，但卻漸漸走向芳香療法的學習之路，農場的主人是一位來自英國的老芳療師，本身在英國是位營養師，同時開了營養師與芳療診所，當初來紐西蘭玩的時候，看到薰衣草農場在特價，於是便關了在英國的診所，移民了過來，在紐西蘭展開他的第二人生。

Silvia 接著開始解釋著，大家所熟知的薰衣草與香療法之間的關係，為何會說每個芳療師都會有的開薰衣草農場的夢想？其實就是因為薰衣草是現代芳療的起源。

在 1920 年代，法國的一位化學家（René-Maurice Gattefossé、蓋特佛塞）在一次的實驗中，不小心弄傷自己的雙手，在沒有多想的緊急情況下，就直接將手伸進身旁的薰衣草精油槽裡，之後，傷口竟迅速地復原，且沒有留下任何疤痕，也因為這件事情，引發了 Gattefossé 的好奇心，因而開始研究精油的功效，並在 1928 年提出了 Aromatherapy（芳香療法）的概念，對此他下了這樣的定義「運用芳香植物精

油影響改變或改善身心靈的治療方法。」，從此也被尊稱為現代芳療之父。

打開感官，芳療的體驗學

一開始打工換宿的許多勞力工作，讓 Silvia 吃了一些苦頭，原本要拔的草，卻不小心拔成了菜，有時也就不太好意思直接去面對著與農場主人的晚餐時光，於是便拿起了當初帶過去的那一本《芳香療法大百科》，以藉此避免相對無言的尷尬場面。

「欸！那是我朋友寫的，我也有一本，英文版的。」沒想到，農場主人看到了那本書，竟然如此開口說道，也讓原本的有點慘烈的打工生活有了轉機，農場主人旋即將 Silvia 轉調至門市擔任店員的銷售工作，而 Silvia 也憑藉著優異的英文能力，幫助農場賣出許多精油。

「過去的芳療其實是種體驗學，因為那時的資訊其實是非常少的，要拿著精油自己去感受它的能量及功能，並透過周圍的朋友去了解，然後運用在個案上！所以你不能只看書，必須要實際運用出來，畢竟只知道的知識是無感的，唯有當你運用在身上有效之後，後面才會形成有感的知識，這

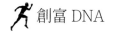

一切不用刻意去背誦，知識便會在所有的嘗試中逐漸深化。」

農場的主人對於芳療有長達 40 年的經驗，在過去傳統的的芳療學習上，非常強調經驗的重要性，芳療需要透過經驗不斷地累積，是個越陳越香的領域，你會在越來越多人身上得到驗證，並且在每個不是那麼成功的案例中學習到自己的不足，要用很多的 case study，去感受這個人該要用什麼精油，或是如何讓對方誠實，在這過程中，芳療師會試圖追求一種身體和心靈的平衡，關照人的每一個面向。

從工程師，到芳療學習中間的轉換過程，是一種感性與理性間的強烈衝突，在芳療裏頭，沒有既定的學習路徑，放下、感受、重視與眼前個案的交談，是整個過程裡的必要功課，在農場的學習經驗，也讓 Silvia 埋下了往後創業的種子「在那裏驗證的一件事情，就是讓我相信芳香療法，也夢想在台灣打造一個薰衣草農場。」

短暫的假期結束後，Silvia 回歸過往工程師的工作，但在台灣打造一個薰衣草農場的夢想，依然還是她偶爾會出現在心中的想望，於是便在一些朋友的引薦下，開始了一系列的英國 IFA 認證課程，想以有系統的學習方式，建構起芳療領域的知識，於是便利用六日的時間去自我進修，在經過考

證後，也成為助教和講師，並於 2006 年順利當上芳療師。

父親的失智症，引發創業迫切性

工程師與芳療師的斜槓人生，兼顧理性與感性的巧妙平衡，但卻因為一件突如其來的事件，讓 Silvia 的職業生涯開始緊急轉彎。

2013 年底，Silvia 的父親被確診為失智症，「因為我自己是講師，我常告訴大家嗅覺是離海馬迴和杏仁核最近的一個方式，我們其實可以透過香味去影響記憶和情緒，而失智症其實就是海馬迴的萎縮。」

當時有兩種選擇，第一種是加重藥物；另外則是選擇其他療程，「如果沒有好好研究失智症，會不會是我一個很大的遺憾？」在當時 Silvia 不斷地試問自己，還能夠替父親做些什麼？

「我希望有人去看芳香療法在失智症這部分效果，或是嗅覺與失智症相關的研究！」在同年 8 月開始創業，父親節成立公司，對 Silvia 而言，這是再有意義不過的日期，能夠不斷地提醒自己當初創業的初衷。

AromaGrace　芳療

· 臉書：https://www.facebook.com/I.love.Aroma/
· E-mail：silviaspace@aromagrace.com

／採訪後記／

謝·晨·彥·博·士

　　平時也會點一些精油或者檀香，讓自己可以處在一個較為舒適的環境中，但沒有特別研究相關的知識，所以對於什麼味道會帶來何種療效，或是如何調配精油的比例是完全一竅不通，想說只要自己聞起來覺得舒服就好。但這一次的採訪過程中，讓我對芳療有了一番不同的認知。

　　採訪當天因為遇到陣雨，心情也變得較為浮躁。直到走進 Aroma Grace 的工作室，一陣陣的香味傳來，但又不是那種濃厚刺鼻的味道，而是一種會讓人自然被吸引過去的芬芳，原先被大雨給攪亂的心情，也被這一陣芬芳給平復了下來。

　　芳療仍是一個相當年輕的產業，同樣的精油配方用在不同人身上結果都不盡相同。因此，比起量化數據，個人主觀的感受在這個領域更加重要。所以訪問過程中得知 Silvia 創業前從事的是注重數據的理工工程師時，對其轉換跑道的決心更是佩服不已。

職人的工廠，品質的保證

《專訪－第一化粧品　副總黃國芬》

　　黃副總在第一化工裡的大刀改革，讓以傳統化工產業起家的第一化工，走向國際保養品牌「de 化粧品」之路，十分令人好奇的是，外表幹練的她，當初究竟是如何帶領第一化工走向轉型？

　　娘家的爸爸原本是做化學原料的進口批發商，後來因為有生意上的接觸，認識了在第一化工排行老二的先生，在嫁進了第一化工後，從此便在第一化工學習原料專業及服務客戶，雖然因為娘家的背景，已經了解許多基礎的化工知識，但面對體系更加龐雜的第一化工，這不免讓黃副總開始思考著，要如何加強系統化的管理能力，然而這對於黃副總而言，

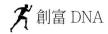

實非難題。

一冰、二醫、三化工

　　先從第一化工的轉型過程開始談起，第一代的第一化工成立於 1963 年，正值台灣經濟起飛的時代，當時有著「一冰、二醫、三化工」的諺語，可知，當時這三個產業在大眾的眼中是多麼的有錢景！

　　當時化工產業非常的興盛，第一化工所提供的基本酸鹼，更是許多工廠製作的必須原料，在加工出口時期以台北大稻埕的天水路為起點發展，當時這條街更有著「化工一條街」的稱號，各行各業都會來這裡尋找原料，而第一化工就在路口，鮮黃的招牌印上斗大的「第一化工原料」，是當時天水路上最顯眼的一家，也是品項最豐富、品質最良好的一家。

牛爾帶動的美妝行銷

　　1985 年由第二代成員加入第一化工，便在第一代的基礎上增添更多的原料種類、儀器、染料、特用化學品等等；1997 年，面臨政府開始實行周休二日的政策，同時也面臨著

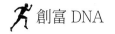

許多傳統的工廠開始外移，漸漸失去客戶的困境，在市場漸漸改變之下，僅提供化學的原料，已經無法應對新的產業趨勢，於是第一化工開始進行轉型，推動起 DIY 自己動手做的風潮，讓大眾藉由動手做開始對化學產生興趣。

另外有台灣美容教主之稱的牛爾老師，當時在撰寫《牛爾的愛美書——天然面膜 DIY》時，曾到天水路向各家化學原料廠取經，但是都被回絕，只有黃副總不藏私地與牛爾老師合作，此後出版這本經典的作品，開啟了在台灣自己動手做美妝用品的流行，另也伴隨著電視節目上的效應，順勢推起了第一化工的聲勢，更於 2004 年成立第一化粧品「de 化粧品」，爾後還建立了第一間旗艦店。

副總能解決的問題就不是問題

黃副總笑著說老二的太太並不好當，當你想帶企業到一個方向的時候，雖然有競爭優勢存在，但是不見得公司裡的大家都能懂、理解，所以必須要去學很多新東西，之後再消化給大家吸收。

「在這個過程裡頭，若有人跟得上就會覺得很好，如果有人無法理解可能就會開始質疑決策的正確性，當時電腦系

統的導入，這就要額外花錢投資！還好我們的公婆不太管事（笑）」所以黃副總就一直在公司裡當著黑臉，持續推動第一化工的改革進程。

第一化工原本是傳統的化工產業，在黃副總管理的過程中，跟著台灣政府的政策，歷經非常多次的產業轉型，從單純的銷售、到學習行銷；從單純的工廠、到經營分店；從原料管理、到擴大的人事問題，中間的種種過程，對企業而言都是不小的考驗。

但黃副總選擇以專注的思考去正視所有問題，讓過程中的波折也就不再是波折，畢竟沒有甚麼問題是真正解決不了的，差別在解決的程度、以及達成共識的多寡而已，事情總是還有轉圜的餘地，選擇認真地去面對，通常問題就解決一大半了。

或許大家會覺得好像看起來都不太會累，但並非如此，學習是黃副總讓自己更加進步、更是紓壓的一個好方法！當時，在建立第一化粧品的過程中，黃副總將產品從頭一一地梳理過，也開始做很多 DIY 的東西，同時間，更不斷地吸收企業管理的知識，透過看各種書籍、廣泛地學習，找出做事的框架，也發現這個過程其實非常紓壓，在要解決這麼多問

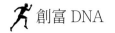

題的情況下，就是必須透過不斷地學習，不同的書其實都會有不同的延伸思考，能讓觸及的領域更加廣泛。

告別化學式、傳達生活中的有趣化學

初期第一化工的轉型，將美容產品的原料分門別類地介紹給社會大眾，以前寫得很專業的化學知識，現在都變成可以親近的領域，同時也不忘結合環保議題開始行銷，像是檸檬酸搭配小蘇打等日常領域的小常識，大家開始能夠透過自己製作各式各樣的產品，這也間接地帶動一波創業風潮，有許多校園新創便漸漸成立，像是曾有台大的學生透過玻尿酸的精華液，開始創建起自己品牌。

「我以後要我的小孩唸化學！」曾經聽過客人這樣說，覺得自己努力推廣生活化化學被人認可，這對黃副總來說就是莫大的成就感，成功不需要太浩大，只需要客人的一句話就很滿足，把化學帶到生活，一直是第一化工所致力的目標，過往大眾總是將化學視為汙染物、或是一門充滿複雜化學式的學問，但是透過多年不遺餘力地推廣之下，化學的存在已經漸漸脫去負面的標籤，化學其實也可以很生活、很有趣。

「不是化學不好，是要看你如何使用；不是天然就是最

好的，天然的也有很毒的東西。」化學可以是生活中的一部分，漸漸也有越來越多人對它感到興趣，甚至投入相關研究，這些都讓過往的努力有了成果，化學從生硬的知識，走入大眾的生活。

高度競爭下談市場區隔的重要

因為原料逐漸普及，許多配方開始能透過研究而產生，但化妝保養產業的競爭已經越來越強烈，若是要進行相關的創業，黃副總則提醒建立市場區隔的重要性「應該先定位要服務誰，去做評估和整合，不要把創品牌想的太美好，做事業是個專業，需要整合很多事情，現在訊息很透明，存活的機會和競爭的力度已經不一樣了，客戶的定位和區隔要先想好，你的營利模式要先想清楚，也要考慮到政府以及勞工的政策，要新創必須要更務實，自己要有一個全盤的規劃，可能你不嘗試也不知道可能，但是勝算和風險一定要先想一下。」

第一化粧品

- 官網：https://www.firstnature.com.tw/firstnature/
- 臉書：https://www.facebook.com/deCosmetics
- 電話：03-396-1234
- E-mail：service@firstchem.com.tw

／採訪後記／

謝·晨·彥·博·士

　　一個企業的改革者要承受的壓力，並不會比創始者輕。改革過程，不僅要隨時掌握外界環境的變化，讓企業轉型的節奏跟上市場變化。對內，還得與舊臣們溝通協調，讓企業上下一同前進。

　　第一化妝品的黃國芬副總，便將傳統化工行成功地轉型成化妝品品牌廠。不過這次採訪過程中，黃副總表示，每個行業都有各自需要突破的難關，所以她不覺得自己讓公司成功轉型有什麼特別的，要讓企業保持競爭優勢才是難的。

　　作為公司改革的推手，自然也成了扮演黑臉的角色。但實事求是的黃副總並不認為這有什麼，她笑著說自己當然不會在意當黑臉。」身為改革者的重點，不在於別人如何看待自己，而是自己是否能清楚告訴大家，公司未來要前進的方向，讓大家一起朝著這個目標前進。

傾注熱情的生命企業

《專訪－龍巖集團 副總高淑娟》

　　在天下雜誌今年 5 月針對全台 2000 大企業所做的排名裡，龍巖被評選為服務業第 252 大、獲利率排行第 5 名，更是證交所公司治理評鑑連續 5 屆，排名前百分之 5 的公司，而作為台灣生命產業的領頭羊，也是排行全球前 5 大的殯葬業者，未來的十年不僅要深耕台灣，更要以「圍棋策略」的方式，逐步放眼大陸市場，目標是成為在華人世界裡頭，殯葬業的第一把交椅。

　　眼前，帶著細框眼鏡，眼神溫柔而堅毅的是－龍巖集團北三區的高淑娟副總，已經在龍巖超過 25 年的時光，見證了龍巖一路以來的轉變，從大眾認為的黑色企業，逐步走向結合藝術、社會責任，兼顧人文與永續經營的成功企業，今天，就著訪問途中的陣陣咖啡香，讓我們一起來了解，高副

總與龍巖之間的故事。

我與龍巖一起走過的 1/4 個世紀

　　高副總從 21 歲開始，大專都還沒畢業，便一邊讀書，一邊進入龍巖企業，以最基層的行銷業務為起頭踏進了社會，但在民國 84 年的龍巖，與現今的上櫃公司形象差距非常的大，當時殯葬業在台灣的能見度非常的低，也總是予大眾一種黑色企業的刻板印象，社會風氣普遍仍趨向保守，也因為年紀尚還很輕，周圍最親近的家人、朋友紛紛對這個產業的前景表示擔憂，認為一定是被騙了，或是非常不解地認為怎麼會去做這種抬不起頭來的工作。

　　但是一進到公司剛好舉辦日本的員工旅遊，令當時的高副總打開了眼界，在親眼見證日本殯葬業的發展程度後，看到他們的殯儀館、殯葬設施、納骨塔等等，內心感受到非常巨大的衝擊「為甚麼日本可將殯葬業做到變成一個上市公司？而且每一家所有的設備都像是五星級飯店，給予悲傷的家屬無比的安慰，每位從業人員的素質都非常的高。」

　　而龍巖當時更是宣稱，未來將效法日本的模式，帶領台灣的殯葬業持續進步，此外，更以超越日本為努力方向，這

樣的改革決心，其實觸動到高副總內心對於爸爸的回憶。

在 17 歲的時候，父親的意外過世對高副總來說是人生中很遺憾的一個過程「那時一直想不懂，為甚麼父親的喪禮會辦成那個樣子，每年掃墓的時候甚至還會找不到墓地，環境也非常的糟糕，那時當然還沒有龍巖，可是就會讓人不了解為甚麼台灣的殯葬業會是這個樣子？」因而龍巖提供了一個可以從築夢到圓夢的過程，更是激起高副總內心一個很強大的信念，或許也可以這麼說，是父親的啟發，帶領高副總進入龍巖，開始參與了台灣殯葬業的改革。

相信公司、相信自己

「很多人問我 21 歲怎麼做業務？」家人的反對主要就是基於產業問題，還有對於社會新鮮人的擔憂，但是在周圍都極力不認同的情形下，高副總堅持用自己的方式撐了下來。

「第一，是看到公司改革的決心；第二，是看到未來學歷必定會貶值的趨勢，也因為家裡出身平凡又貧窮，家裡有 5、6 個小孩，這樣的家庭生活負擔很大，加上爸爸很早就過世，在那樣的環境底下，內心有著很深的體悟，我如果想脫

離貧窮，想要買車買房的話，我就要堅持自己的夢想，必須要做不一樣的事情。」

當時的龍巖，有非常好的制度和培訓系統，很好的產品、和日本合作的前景，不用擔心創業的風險和資金，只要想著自己的努力到底夠不夠就好，所以現在回想起過去一開始的不安，高副總其實轉而非常感謝過去的那些負面貴人「人家越說甚麼不好，我就越用正面行為給對方看，面對別人給我的問題，選擇面對它，問題就會迎刃而解，也就一路走到現在。」

許多人遇到這樣的打擊，可能會萌生退意，但是高副總打定主意，就是寸步不離，一步一腳印地從行銷業務開始，穩扎穩打地經營自己的業務職涯，在 22 歲就成為最年輕的協理、25 歲拿下全國競賽冠軍、35 歲擔任龍巖集團董事，所有的成就與成長，再再地打破當初周圍人的眼鏡，也逐漸取得認同，並且對龍巖開始改觀。

「我非常感謝 25 年來公司的栽培，栽培我們做事情更有效率，有效率的人做事情其實是可以面面俱到的，透過工作給我的閱歷，成為我的經歷，業務工作可以透過人與人面對面的直接學習，每天就是拜訪客戶，從聊天經歷中、我學

習、吸收、成長,之後可以更有效率地陪伴家人。」

走向世界同時也提升自我

「我形容我的工作就是從雞叫到鬼叫的生活,每天很早出門、每天很晚回家。」面對業務的高壓工作,高副總以生動的方式向大家說明著。

「行銷業務的工作,就是下班之後有很多自己的時間,所以和家人出國旅遊,是調解壓力的一個很重要的休閒,提高學習的動力,也提高工作的效率,也就是說生活和工作其實是離不開的。」

「每年大概出國六次,都是和家人,和小孩在旅遊過程的互動,這是非常好的,很喜歡帶小孩去看大學,像是史丹佛、牛津、劍橋大學等等,雖然我沒有給小孩很大量的陪伴,但是我給他很好的陪伴的質!」在工作之餘,也不忘記小孩子的教育,父母的陪伴,對於小孩的成長有著長遠而深刻的影響,尤其是出國旅行,能讓小孩從小學習尊重不同的文化、也保有更開闊的心胸。

高副總一開始為了改家裡的環境,是以賺錢,成長自己

為首要目標，但是後來在服務客戶的時候，希望自己能做到「不會呼吸的保佑我，會呼吸的感謝我！」在提供自我價值裡，感受到了付出的滿足；而近幾年來所從事的業務管理，則希望把成功的經驗複製給更多的人，讓更多人享受到所謂生活品質的提升，幫助想要在龍巖體制內創業的人，「甚麼叫好人？讓自己越來越好的人就是好人！」

「老天爺給妳很多的苦，是希望你自己要先去體驗，而不是把壓力轉嫁給別人。」在周圍所有的人都反對的狀態下，向他人訴苦只會引來早知道就不要做嘛！這樣的冷嘲熱諷，沒有人可以訴苦的情況下，自己要嘗試把苦都忍住，所以在吃苦的時候，不要一直陷入消極，而是要開始省思，應該如何會讓自己更好？不能讓別人看自己的笑話！這就是一種態度，當你面對挫折的時候就是要堅持自己的夢想。

「每天都進步一點點，是我在剛進來龍巖時給自己的座右銘。」精神上的提升，才會讓周遭的人，覺得你成長了，這會表現在一個人的神態、肢體語言、和處事應對上面，這部份我們才稱得上是熱情。

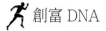

龍巖集團

- 官網：http://www.lungyengroup.com.tw
- 臉書：https://www.facebook.com/lovelungyen/
- 電話：02-2660-2028

/採訪
後記/

謝・晨・彥・博・士

「越挫越勇」正是龍巖集團北三區高淑娟副總的最佳寫照，二十歲出頭便投入到當時社會普遍不看好的殯葬產業。朋友的反對、家人的不諒解，反而成為高副總身心快速成長的養分。因為她深信，公司當時所構築的願景，能改變整個台灣殯葬產業的環境。

當我們問到一個人遭遇挫折時的經歷，可以聽到各種形形色色的面對方式，但所有度過難關的人，都有一個共通點，就是擁有堅定不移的意志。他們不會為自己找一個輕鬆的台階下，而是用盡各種方式來解決問題。

在這次的訪談的過程中，高副總和我們分享許多她過去的故事，一個人成長真的可以沒有極限。一個人的成長，不在你說了什麼，而在於你做了什麼。每天都督促自己進步一點點，幾年後你將會比現在要強上數百倍！

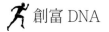
熱情勇膽的青年創業家

《專訪－合慶室內裝修有限公司 設計師Vida》

　　甫從義大利 A'Design Awards 受獎回來的王雨涵（Vida），榮獲了1銀2銅獎的佳績，但這只是她眾多獲獎紀錄中的一小部分，而在訪談的一開頭，我們甚至還能感受到她當初獲獎的那股興奮之情；另外，也曾接受國光幫幫忙、蘋果日報的專訪，暢聊自己的創業經歷，現在是合慶室內設計公司（HECING Design.Ltd）的主持設計師。

　　其實 Vida 唸的並不是室內設計，專業科班出身的她，高中、大學、研究所唸的都是建築，但後來沒有就此順暢地走向建築領域，反而轉向投入室內設計，她說因為相較於建築整體的大尺度，室內設計偏向小規模的領域，較適合自己且比較好發揮設計。

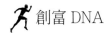

年輕勇膽才有為

　　大學畢業後，先到日本東京唸日語學校，後來再到日商的設計公司擔任設計助理，處理百貨公司專櫃的設計，而在工作了 2 年之後，開始有鄰居向 Vida 提議，能否將我的房子重新裝修呢？但在室內設計的領域，成熟的設計師養成，至少需有 5 年以上的實戰經驗，何況是剛出社會，資歷 2 年的小小助理呢？儘管心裡充斥著許多的不確定性，但 Vida 還是勇敢地接下了委託。

　　於是便將屋齡已經長達 40 年的老屋，從管線配置、空間規劃，到所有的基礎工程都重新做，這個過程的起點比想像中艱辛，讓一開始連許多專業工程術語都聽不懂的 Vida，開始體認到自己的不足，但初生之犢不畏虎的她，不懂就請教前輩並學習，努力讓工程如期完工。

　　「現在回想起來，真的很感謝她的信任，後來工程順利交屋，客戶也很滿意。」因為珍惜第一位客戶給的機會，不想辜負他人對自己的期望，於是這份感謝，給了 Vida 很大的動力與信心，之後便支撐著她開始走向創業，一條原本自己從沒有想過的道路。

Vida 說起她學生時期唸建築系，因為每一次的上台發表，讓原本內向的他更勇於表達自己，在偶然機會看見建築師安藤忠雄的自傳時，更是激發她對建築的興趣，往後更因此到日本留學，將大師的作品全部走一遍！

「假想你設定的目標是終點站，你必須在上車前將車票準備好、將時間控制好，缺一不可，你才能搭上這班夢想啟動的列車；如同，當人生有第一個機會來臨的時候，就該把自己該有的相關技能和心態都建立好，不緩也不急地上車。」這是她一路以來不斷提醒自己的話。

雖然創業的初期看似一帆風順，但是過程中也曾陷入缺乏案源和資金的困境，有蠻長一段時間洽談案子很多，但未接到任何案件的困境。

室內設計的工作，必須先丈量、規劃設計並討論和報價，這過程至少需花一週以上作業時間，最後由客戶決定是否買單，若未承接到案子，就會陷入白忙一場的狀況。

「但看似一張薄薄的設計圖，其實都是嘗試無數方案的結晶。」慢慢的，開始較能掌握談案眉角，業績也漸入佳境，準備籌劃設立公司，雖然父母曾向她提及，可以資助一點創

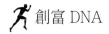
創富 DNA

業資金，但堅持凡事靠自己的 Vida，毅然地婉拒父母的心意，認為既然要開公司了，就要靠自己，希望這間店從無到有，都是自己的努力來的，「真的覺得當時自己就是年輕憨膽。」

25 歲的我貸了 200 萬

在創業時期資金是最缺乏的，於是參加了政府補助青年創業貸款的計畫，寫了非常厚的企劃書，去銀行申請創業貸款，但因為不是商業相關背景，Vida 甚至也報名了相關創業課程，只為了把企劃書寫好寫滿，最後連大學所學的 SWOT 分析法全部通通用上！雖然不是很專業，但誠意絕對十足，然而僅僅 25 歲的年輕人就要向銀行借 200 萬的創業基金，作為未來店面裝潢、籌備基金的用途，這的確是一筆不小的數目。

想當然爾，初期與很多間銀行交涉吃了閉門羹，但最後如願核貸，也才有了接下來的故事。「每一間銀行告訴我，就算可以核貸，最多也只是 100 萬，到現在還是覺得像場夢！」或許永豐銀行就是看見了那份企劃書裡頭滿滿的熱情，所以決定給眼前的年輕人一個機會。

豐彥財經

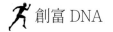

別人已經休息，而我還在努力

因為室內設計的專業需要證照，於是在剛畢業後 2、3 年，Vida 除了透過工作不斷地學習，以讓自己擁有新的軟體技能，晚上與假日的時間，也都拿來念書與準備考試。

「因為父親在相關行業已經開了 20 幾年，所以剛開始很多客戶都來自於父親的客人，有時怕出錯會花費很多時間傾聽、溝通了解他們生活的習性和習慣，久而久之跟客戶變成朋友；慢慢的透過介紹，接觸到較大型企業例如三商美邦人壽，原本認為辦公室規模太大，自己無法勝任，也感謝他們願意給我嘗試的機會，直到現在他們是我最重要的客戶。」那段時間透過和客戶深入的交談、接觸，可以融入客戶的生活並且結交不同領域的朋友，也是 Vida 創業裡很重要的成就感來源。

「目前 8 年了，接最多的都是回流客或客戶的朋友，剛開始會想：欸！我下面的案子會在哪？會不會斷炊？想著想著案子就出現了。」所以案子無論大小，努力做好每件客戶託付的事情，就會源源不斷！創業過程遇到的瓶頸難關，只要再撐一下去想解決方案就能渡過，千萬別輕言放棄，遇到了難題克服它，它就不是難題了。

珍惜與客戶的一期一會

「老實說，在 20 歲夢想是：賺大錢、當個有名氣的室內設計師；現在的夢想則是：希望能找到尊重妳專業的客戶、共同完成目標。」現在 Vida 希望能夠扎實地踩好每一步、完成業主的託付，因為在景氣不好的現在，裝潢費動輒 1、200 萬，談何容易？如果客戶願意交付給妳如此重責大任，希望能珍惜這樣的機會，將每一分錢做最妥善的運用。

「有統計說一個人一輩子只會裝潢 1.4 次，也就是說一輩子就裝潢這麼一次！」對 Vida 而言，追求金錢、名氣已經漸漸不再重要，而是珍惜每一次相遇，認真將客戶託付的事情做好，讓對方感受到好的設計所帶來的生活品質，才是令設計師感到滿足的。

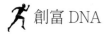

AWARDS:

2018,IDA DESIGN AWARDS,Honorable
Mention,U.S.A,
2018,AMP Winner in Landscape
Architecture / Outdoor Designs,U.S.A,
2018,IDA architecture – arches bridges
viaducts and gateways,Gold,U.S.A,
2018,AMP Winner in Interior Design / Retail,U.S.A,
2018,AMP Winner in Interior Design / Commercial Interior ,U.S.A,
2018,IDA Silver in Interior Design / Renovation,U.S.A,
2018,A' Design awards,Silver,Italy,
2019,A'design awards,Bronze,Italy
2018,AMP Winner in Interior Design, U.S.A,
2018,AMP Other Interior Design,U.S.A,
2019,A'design awards Bronze,Italy,
2018,IDA Gold in Other Interior Designs / Other Interior designs,U.S.A,
2018,IDA Gold in Interior Design / Conceptual,U.S.A,
2018,IDA Silver in Interior Design / Commercial,U.S.A,
2019,biomimicry,Award of Merit,U.S.A
2020,German Design Awards,Winner in the category Excellent Architecture -
Retail Architecture,Germany

合慶室內裝修設計有限公司

- 電話：02-2657-5757
- E-mail：vidahanhan@gmail.com
- 官網：http://www.hecingdesign.com
- 臉書：http://www.facebook.com/hochidesign/

/採訪
後記/
謝·晨·彥·博·士

「據統計，一般人一輩子平均會為自己的房子做約 1.4 次的裝潢。既然客戶願意把這屈指可數的機會托付給我，我也希望以自己的專業，把對客戶最好的設計方案呈現給對方。」剛獲得 A'Design Awards 的 Vida 如此述說她的理念。

走進 Vida 自己設計的工作室接待處時，就能感受到實用與時尚兼具的巧思。再稍微逛一下整個接待處，更能感受到設計師在許多細節上的用心，也能理解年紀輕輕的 Vida，獲得 A'Design Awards 這份榮耀確實實至名歸。

雖然在談到經營層面時，Vida 謙虛地說自己仍是新手老闆，但一聊到設計相關的內容，態度便顯得落落大方。尤其在聽她形容為客戶規劃的過程時，就可以發現她的每一項設計都是以客戶的立場來思考，讓人可以很放心的把自己的房子交給她來規劃。

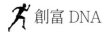

一起來場高爾夫輕旅行！

《專訪－高富網（高球旅遊） 總經理王成彬》

　　台灣的高爾夫球產業，曾於 1970、80 年代達到高峰，涂阿玉更是當時紅極一時的選手，也讓當時的台灣贏得了「亞洲高爾夫球王國」的稱號。

　　然而，因為高爾夫球這項運動本身需要廣大的腹地，會涉及土地開發、生態環保、產業發展法規等等議題，也連帶形成高爾夫球並沒有如當初所預期地那樣，順利地朝向全民化發展，反而是漸趨轉向精緻化的模式。

　　現今，若提到高爾夫球，大眾的印象，總是不假思索地將之與權貴、富豪階級聯想在一起，認為這就是一種貴族化、高而富的運動，不禁對它產生了一種疏離感，因此資訊的流通也越來越不容易，一般人想學習高爾夫球似乎總是一件不太容易的事情。

目標將高爾夫推廣為全民運動

「為了讓喜歡高爾夫的人，能夠在國內外的球場拿到比較優惠的價格，取得正確的活動目標，才去創立。」高富網的王成彬總經理如此說到，這是創立高富網的初衷，因為自己喜歡，希望能營造一個好的環境給更多的高爾夫球的愛好者，讓更多人參與到這項運動，也建立起正確的學習態度，而不再覺得打高爾夫球是很遙遠的一件事。

高富網運動行銷有限公司，正確來說它的業務是介於旅遊業和高爾夫之間，透過資源整合，提供客戶整體的活動流程規劃，讓高爾夫球愛好者，能有更多的場地可以選擇、享受更高品質的打球體驗。

王總經理從 17 歲就踏進旅遊業，30 歲接觸高爾夫，至今已經有很長的資歷；從以前到現在，共成立過兩家旅行社，一開始單純做旅遊而已，只是覺得很好玩，但因為 SARS 爆發後，連帶地影響旅遊業的景氣，於是決定收掉公司；後來決定針對自己的興趣，也就是高爾夫球，希望能拓展這方面的市場，然而當時周圍的人都對這個決定表示反對，認為高爾夫就是一個小眾的市場，這生意一定做不起來，身邊的人沒有一個支持，只有太太從當初就一直陪伴著王總經理走到

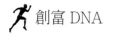

現在。

事業的最大助手─我的太太

每次說到這裡，王總經理總是懷著滿滿的感謝與不捨，謝謝太太過去那樣無怨無悔地相信自己、也心疼過去的她那樣地為公司的業務奔走。

「要感謝我太太，因為她沒事就常上網東想西想的，激發出很多新的點子，那時候想說要做點甚麼？反正我們都有外地賽嘛！我太太就說那我們試著做看看，她就一家一家的球場都去拜訪，慢慢地幫球場辦活動，那時候她是最辛苦的，小孩還很小，在懷著老二的時候，甚至還頂著大肚子去球場。」

專業度建立市場區隔

然而創業一開始就面臨著沒有客源的問題，王總經理嘗試拿著球桿到練習場，到處去認識客戶，卻毫無所獲，甚至窮到吃泡麵，幸虧後來很幸運地認識了一位貴人，給了公司第一筆生意「他告訴我說，人家認識你之後自然就會幫你介紹生意，當時是台灣第一個創立高爾夫網站的人，所以慢慢

地就開始自己想辦法，開始有起色後，慢慢客人越來越多，很多會回頭。」

而有更多的專業後，才可以做更多的東西，之後，王總經理開始學習球場管理的各種知識，學習什麼是草皮？什麼是好的球場？如何維護和管理？，甚至連在廁所的時間都不放過吸收高爾夫球知識的機會，每天就是吸收再吸收，也曾有人提過 PGA 巡迴賽是可以參考的材料，但王總經理認為，要做就要作和別人不一樣的，這樣才有自己的市場，否則，如果每個人都像他們一樣，那麼自己的生意在哪？

結合高爾夫的輕旅行

「因為旅行社會做，但是他們不懂高爾夫，而我本身是做旅遊業出身，又會高爾夫，所以剛好兩個都懂，那我就有兩張牌：一張是高爾夫、一張是旅遊！」

「我們是高爾夫運動行銷，同時加上旅行社，這是為了保障客人，萬一發生在球場翻車，或是其他問題，都可以依照保險的規定來解決，但在坊間有很多人會遊走在法律的邊緣，這如果哪一天出了事情，旅客的權益會受損，就很沒有保障。」高富網能針對客戶的需求，去規劃不同的行程，不管是國內外、個人或團體等，都可以在這裡找到最理想的解

決方案，讓客人只要好好享受打球，其他的事情都不用煩惱。

現在則開始有很多客人向王總經理詢問著很專業的問題，像是「我們球隊要去哪裡之後要幹嘛？那你可不可以給我安排啊？」也因為過去下的苦功，讓公司的專業在此能有所發揮，王總經理會針對個別客人的不同需求，提供合適的地點、答案，做到把客戶的問題縮小化，就好像是醫生，釐清客人身體上的病痛後，再提出最佳的解決方案。

未來是個人、網路化的世界

回憶到為什麼會有這樣的想法，王總經理則說，其實從過去開始，自己就有好幾次準確預測過未來市場的趨勢，朋友也都笑說，他說的話實在太準！「23 歲創立最早的旅行社，真的什麼都沒有，那時候網路還是蕃薯藤，最早的搜尋引擎，也不用錢，但是當時的朋友不懂我為什麼要用網頁，當時就覺得未來的趨勢一定在網路上面，因為我們的手機一直在變，當開始沒有手機，大家就會用電腦了，沒有人在找報紙了，未來的趨勢就是網路，我當時就說了。」

然而王總經理也直言，在目前很多程序都可以在網路上完成的情況下，對公司的營運的確形成一筆不小的挑戰，「但

是公司仰賴著過去的經驗，已經漸漸變成一個諮詢單位，就像是一個平台，會服務大家！這樣的處理方式，確實可以提供客戶比網路更多的保障。」因為目前網路作業的部分，在台灣還沒有明確的法規可以規範，如果發生了消費糾紛，很常出現求償無門的窘境！消費者如果希望有個保障，還是以傳統的方式最好，畢竟旅遊業者還是明確地受著觀光局的法規規範，比較不會亂來。

老天爺不要放棄我啊！

而在面對著排山倒海而來的壓力時，每個人的應對模式都不盡相同，可以是運動或是閱讀，讓我們在面對這心裡恐怖的巨獸時，至少不會手無寸鐵，但王總經理卻在訪談時，給了我們一段意味深長的沉默，之後才接著說：

「坦白說我不知道要如何調節壓力，因為我一直告訴我自己說，我不能跌倒，老天爺再給我一次機會吧！我要一路走下去，我要想辦法成功，我覺得人在做天在看，努力一定會有很多人支持，只要願意去低頭，你所有身邊的人，都可以幫你，只要你願意去做，自然而然就會成功！還有最多就是一笑置之。」或許王總經理不是不知道要如何調節壓力，而是在自我對話中，已經習慣這個和壓力單打獨鬥的過程。

91

高富網

- 官網：http://www.golfertour.com.tw/
- 臉書：https://www.facebook.com/golfertour/
- 電話：02-2509-0971
- E-mail：service@golfertour.com.tw

謝·晨·彥·博·士

　　現在有許多網路訂購飯店、行程的平台，只要肯花時間研究，想要自己安排一趟旅行確實不難。但是說到高爾夫，球場特性是什麼？18洞打下來要多久？再搭配交通、吃飯甚至住宿的話，恐怕就難倒不少人了。這一連串的難題高富網可以幫你解決！

　　熱愛高爾夫的王總，花了相當多的功夫鑽研高爾夫的一切知識。透過穩扎穩打的知識積累，並親自拜訪球場建立合作關係。加上自身旅遊行業的背景，行程制訂對王總來說更是易如反掌，因此兩者一拍即合，高富網的成立，為許多高爾夫的同好們解決了許多安排行程的困擾，讓球友們只要帶著愉悅的心情前往球場，便可盡情享受揮桿的快感。

　　能一直做自己喜歡的事情，是大多數人心目中理想的工作型態。如果這件事，能和志同道合的人們一起進行，那就太美好了！成立高富網，和許多球友們一同在球場上盡情揮桿，王成彬總經理便是把自己的興趣與事業完美結合的人。

令客人安心的家族好水

《專訪－源全淨水 董事長楊宗穎》

　　源全淨水器的楊宗穎董事長，原本是個職業軍人，打從高中畢業後，自民國 91 年起就投入國軍，軍旅生涯長達 10 年的他，已經做到上士階級，然而雖然在從事海軍的整體過程中都非常順利，但是內心還是有著一股揮之不去的聲音，一直從入伍的那一天開始都不曾停止過，「難道，我的一生就只有這個樣子嗎？」這個質疑非但沒有得到任何解答，反而還漸漸增強著自己想要做出改變的決定。

當未來的公務人員可能不再是鐵飯碗

　　顯然，一眼就可以望到盡頭的平淡人生，並非楊董事長所想要的生活，國軍的職責是保衛國家，雖然可以養家活口，

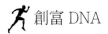

但是穩定的環境，已經無法滿足強烈的企圖心，他想要的是更多、更廣的機會，退伍顯然是再清楚不過的一條路了。

「大約在民國 98 年的時候，我發現社會的氛圍不對，為什麼這麼多勞工階級都在攻擊公務人員？」

「我的工作開始就是要待滿 20 年，就會有終身俸，但是這樣不對，公務人員的薪水不會因為景氣而降低，不高但就是穩定，然而因為國家的政策一直在改變，那 20 年後，我就 38 歲了，如果國家的政策因此而改變，38 歲的時候我還沒有社會經驗，要找工作是很困難的事情，所以在我 28 歲的時候，就想要趁年輕，出來闖事業。」所幸有著太太的支持，讓這個決定的起頭並不是太糟。

軍人之後的艱難求職路

離開軍旅生涯的首階段，就是開始尋覓工作，但是褪去了軍人身分以外，幾乎是一片空白的工作經驗，那時候的楊董事長該怎麼寫履歷？該怎麼說服面試官？這些顯然都已經構成很大的問題。

「我出來也是先去找工作，從高中畢業後就進去軍中，

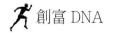

所以對社會上的氛圍、變遷都不是很了解，我只能試著去融入工作裡，去了解社會的氛圍，和賺錢的動機。」一切都是從頭開始，試著融入、了解社會，是楊董事長對自己的目標，唯有這樣才可以彌補過往因為待在軍中，而與社會漸漸脫節的空窗期。

「曾經看著報紙去找大發工業區作業員的工作，我的想法很簡單，我想要讓自己有社會的經驗和歷練，以前都是長官對下屬的方式，可是踏入社會之後，這種方式在社會上是不行的，要試著讓自己融入社會，所以一開始先找離家近的工作。」但是在這個過程中並沒有想像中順利，尤其已經年近 30，但卻毫無社會經驗，造成許多企業會因而有所顧忌，這已形成求職過程中的一大阻礙，而在家庭壓力下，更是考驗著楊董事長在職涯規劃上的應對能力。

因緣際會下接手父親企業

後來，因為楊董事長的父親本身就是在高雄經營濾水器的事業，已經經營得非常久，而且也培養了一群十分忠誠、黏著度很高的顧客，雖然一開始並沒有對父親的企業感到興趣，但在後來才漸漸發現了，這個產業其實蠻好。

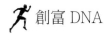
　　「在還不了解這個產業的時候,我是對它沒有興趣的,退伍的時候想要自己去創業,可是我在找工作的同時,我發現這好像不是我想像中的樣子,那找工作不順利的話,我就開始思考我還能做甚麼?」

　　「我也感謝我父親,因為他很有智慧,從民國 68 年開始做濾水器做到現在,在我退伍的時候,就帶我到客戶家聊天,有些客戶從民國 68 年用到現在還在使用,已經用了 40 年,我就一直在思考,如果一個產業可以讓你的客戶使用 40 年,又可以是朋友不離不棄,所以就覺得這個產業是可以做的。」還好有著父親的企業,讓楊董事長在求職不順的過程中,看到了另外的一絲希望,於是和父親開始學習濾水器的專業,依靠著過往父親所打拼下來的企業雛形,變成了今日的公司。

軍人的紀律轉成企業的經營

　　然而從軍人的身分轉而承接父親的企業,這樣身分轉換的過程,不能以軍人的思維去看待每一件事情,商場上的管理模式和軍人的訓練思維是截然不同的兩個世界,開始要學習經營客戶、營造品牌形象等等,這當中,一定經歷過不少的難題,「剛開始在銜接的時候,專業不足,讓客戶不能信

任我，畢竟過去不是這個領域，所以就是盡量學習，上網查資料或是問父親問題。」

「但純濾水器沒有專業，然而要將它裝到水龍頭上其實要有水電的基礎，雖然已經 6 年了，壓力還是會很大，當老闆會有老闆的壓力所在，像是：我的顧客群滿意度到底好不好？要怎麼拓展業務？業務拓展不出去就會讓營收變少！這都是各方的壓力。」楊董事長坦言，自己就是從頭開始，沒有別的捷徑，就是跟著父親一步一步地學習，不管是水電專業、客戶關係經營等等皆然。

跳脫舒適圈，與領域精英學習

而在巨大的工作壓力中，楊董事長選擇用高爾夫球、爬山等運動來調節自己，此外加入巨港國際青年商會也開啟了他另外的眼界，跳脫軍人的舒適圈後，嘗試以各樣的方式讓自己在商場和企業管理上顯得更加專業、上手。

巨港國際青年商會，在高雄的發展歷史已經非常淵遠流長，是高雄第一個成立的青年商會，裡面的巨港高爾夫球會更是激發了楊董事長對高爾夫的學習興趣「我就覺得因為我要成為貴族，所以要學習，一開始也很不會，但如果要提升

98

我自己的話，就要向高階的領導人學習，所以加入之後，開始跟他們學習，認識他們在球場上是如何開始自己的生意？在球場如何做人處事？」於是在這過程中，就慢慢地打出興趣來。

創業開創真正財務自由

最後，如果要鼓勵目前的年輕人、創業家的話，楊董事長對創業其實是懷抱著非常樂觀的態度，他說這是開創真正財務自由的一種方式，讓你不再仰賴單一的固定薪水生活，而是開始替自己建立屬於自己的財務體系「我覺得我會鼓勵年輕人多多的創業，因為一般的工作，如果要成為別人的員工的話，其實不能解決你一生的財務問題，唯有創業才能解決你一生的財務問題。」

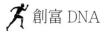

源全淨水

· 官網：http://site-1678807-2856-3285.strikingly.com
· 臉書：https://is.gd/Y04uYG
· 電話：0920-153-515
· E-mail：game8482@yahoo.com.tw

　　學習，是一輩子的事情。任何的文憑、證書，都不能作為你停止學習的理由。源全淨水有限公司現任董事長楊宗穎，在結束長達 10 年的軍旅生涯，投入現在的事業後，便是透過不斷的學習，讓公司一步一步地成長發展。

　　或許在外人看來「承襲父親的事業，比起自己重頭開始創業應該會輕鬆不少。」但事實上，守成者的辛勞絕對不比開創者少。公司的商譽由第一代一手建立，客戶的信賴也是建構在第一代身上。因此，要維持客戶的信賴，楊董就是透過不斷地學習再學習，以自身的專業素養，令客戶放心並持續使用公司的產品。

　　為了持續提升自己，除了專業知識的學習，楊董進入高雄巨港青商會，與各個領域的菁英們一同學習經營管理。這樣的企圖心，值得我們學習。

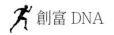

未來實在是太難又太令人期待了

《專訪－聚財網 執行長陳志維》

「我是陳志維，一個十幾年來只做一件事情的瘋子！」聚財網的創辦人，在他的自傳《聚財網的故事》裡如此描述自己，書中以親切的口吻，娓娓道來網站的創立過程、面臨到的種種考驗、與愛情的艱難抉擇等等，希望能拋磚引玉，藉此鼓勵年輕朋友們勇於去追求自己的夢想。

聚財網－給自己的生日禮物

聚財網是台灣現今最大的投資自媒體社群，提供財經即時新聞、台股模擬競賽、課程教學等等資源，相信許多投資人對它的存在並不陌生！過往書裡提供的刮刮樂更是令人至今久久還無法忘懷的回憶，一路走來也陪伴著許多人在金融

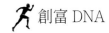

領域成長。

還在念大學的時候，陳執行長就對網站非常有興趣，民國 86 年，正值網路十分風行的年代，已經接觸了許多網站架構的方式，此外也常常在 BBS 上的股票版上發言，後來因為考慮到許多平台都會有所限制，所以漸漸開始希望能夠創建專屬於投資人的平台，提供沒有受限的討論空間，讓專業的人可以在這裡暢所欲言。

「剛開始就是貼上自己對股票、財經股市的看法，後來才開始架設討論空間，讓小額投資人交換心得的網站。」這在當時還沒有臉書等社群媒體的時代，可以說是首開先例。

「最早的時候，很盛行自己做一個主頁，我自己的文章就弄成週報啊，之後才開始設討論區、弄點數，早期一開始就是自己寫自己用，作家、寫程式、維護、設備全部都自己來。」

「聚財網成立於 2001 年 9 月，是當時給自己的生日禮物，買了一個網址，同時租了虛擬主機，聚財網的雛形正式成立。」沒想到最初的這份生日禮物，後來成為了陳執行長人生中很重要的轉捩點。

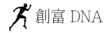

　　網站成立初期，正逢大學畢業後的當兵階段，雖然平時過著沒有網路的生活，但仍堅持全心投入網站草建的業務，「如果在部隊裡可以上網，就想辦法上網，或是出去洽公的時候，所有人都會去網咖打電動，我就趕快去自己的網站回信之類的。」

　　然而當時正值網路泡沫化的時期，出現了許多公司在吸金後惡性倒閉的案例，也因此網路產業的前景在當時並不被大眾看好，陳執行長雖然從當兵就開始創業，但在退伍後其實有著整整一年的時間，都在猶豫是否要繼續這個創業？或是就如父母期待的那樣繼續研究所升學？但這個問題並沒有太難抉擇，心之所向的熱情早已經告訴了他明確的答案，就是要堅持自己的初衷，希望可以做一個在討論上很公平、超然、客觀的平台提供給投資人。

用理想持續堅持了 20 年

　　利用網路創業的方式，在最初並不會面臨太大的資金問題，只是非常看重個人的專業能力，「之前什麼都是自己用，成本也不會很高，不會有太大的支出，但後來支出會變多是因為開始做出版，不然本來如果都只是用一台電腦，成本就也還好，自己組一台比較好的，就都是自己的工錢，還好啦～

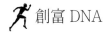

所以對年輕人來說，如果一開始不要投入那麼多資金的話，壓力應該就會比較小。」

「也是一個月幾萬塊，沒有多少，還過得去，一開始創業不是為了賺錢，而是為了完成自己的理念和想法，因為那時候網路的思維都不會以賺錢為第一目的，理想、願景還是最先考慮到的，其實在初期有請一位工程師，大概也就是多了這位工程師的薪水而已。」

對於陳執行長而言，創業可以分成兩種，一種是完成理念和想法為目標、一種則是以營利為目的，「現在很多創業一開始都是營利為主，像是有很多為了要 IPO（Initial Public Offerings，首次公開募股）、ICO（Initial Coin Offering，首次代幣發行）等等，那這樣子其實有很成功的例子，但是我認為他的理想和抱負會有些偏差。」

然而說到這裡，陳執行長坦言，自己也曾經想過如果公司換個方式的話，說不定規模就可以更大、營收也會更多！然而在面臨眼前這麼多的選擇的同時，最後還是堅持說了不！或許很多人會認為這樣太擇善固執，但因為這些外在的因素始終都通過不了他心裡面的那一關，也就是他的原則，陳執行長希望能把初衷守住，在金融圈這個大染缸裡，他還

想留住最後的堅持，或許這就是支撐著他一路走來的原因。

「因為有自己的理想和抱負，面對很多可以讓公司成長的改變，都說不，而且已經 20 多年，雖然會累但是自己喜歡的。」

壓力就像滾雪球，越大越解壓

但是在創業後，壓力從來就不曾間斷，尤其是從事網路領域，其變化的速度更是其他領域所望塵莫及的，然而壓力對於陳執行長而言，從來就都不是問題，而是一切進步的根基，他認為紓解壓力的方式，就是增加更大的壓力，如果在創業的過程中遇到難關，反而會轉以更大的投資壓力去平衡它「無形之中，前面的壓力可能會不見，越來越來後面就會有壓力不見的感覺！」

「賺錢了人就很愉快，賠錢了反正前面的壓力也就不算什麼了，本來是事業上的壓力，於是轉移到更大的壓力，反正全部都是樂趣和興趣，喜歡做的事情，壓力不是壓力，就是一種調適的過程，互相轉換。」看似都是壓力，但其實也都是一種挑戰，只有不害怕越來越大的難題，面對壓力的復原能力才會越來越好。

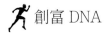

創造差異與衡平資本的重要

在過去，臉書都還沒出現的時代，陳執行長已經洞燭先機，嗅到了社群發展的潛力，若是要給現在的創業者一些建議，他強調獨特性的重要，現在的競爭強度已經不同於以往，要做就做最獨特的。

「其實我自己都不會想要做和別人類似的事情，即使別人做的很好，很多人也會跟我說，因為這樣很好賺你為什麼不做？很快就可以賺到錢，我當然也知道，但是我們就是堅持和別人不一樣的事情，而且覺得一定可以把這件事情做好，就一直堅持下去。」

此外，不同的創業會面臨到不同的資金問題，應該要提早思考與規劃「不是每一個行業一開始都不需要投入太多資本，所以這中間要如何平衡就是要去思考，但是你一定要記得，你創業可以跟人家哪裡不一樣，這樣的特色很重要。」

聚財網

· 官網：https://www.wearn.com/
· 臉書：https://www.facebook.com/wearn.tw/
· 電話：02-8228-7755
· E-mail：service@wearn.com

豐彥財經

採訪後記

謝·晨·彥·博·士

「專注做一件事，並將其做到最好！」這是對聚財資訊執行長陳志維最佳的描述。陳執行長對金融市場的資訊分享，一直以來都持開放態度，不僅樂於與人分享，更喜歡與人交流。因此從學校畢業之後，便開始經營網路討論區，也就是現在聚財網的前身。

金融圈在圈外人看來是如此光鮮亮麗，但似乎又蒙著一層令外人無法看透的神秘面紗。當然，涉及金錢利益，必然會有許多誘惑。我自己在行內，就不知道看了多少人事物的起起落落。但是，唯獨陳執行長，這二十多年來，一路走來始終如一。不僅樂於把自己知道的賺錢機會與大眾分享，更持續提供一個中立且開放的平台讓眾人交流。讓過去許多潛伏市場中的平民股神們，能有一個很好的發展舞台。

即便現在社群媒體、訂閱平台充斥在網路上，但陳執行長依舊不隨波逐流，仍是忠於創立聚財的初衷，繼續以一個公平、超然、客觀的平台服務投資人。

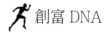

以愛之名的生活提案

《專訪－鑫錡創意 創辦人段凱隆》

如果今天要問各位，對台灣設計的印象，你第一個會想到什麼？是為蜜雪兒設計服裝的吳季剛、抑或是將傳統的檳榔西施、國語作業簿融入巴黎時裝周的江奕勳呢？或許你會接著說，這些都很棒，但就是離我們太遠了。

然而身為台灣人的我們，其實有著很精采的文化，但卻很少會有人認真地去留意生活周遭的各種美，但幸好有人意識到了這一件事，而同時也正在這個領域奮發努力著，今天我們非常榮幸能訪問到，A+more 愛加丹尼的創辦人 Daniel 段凱隆，聊聊他們是如何試圖將美學、設計融入台灣的日常生活中呢？

以愛之名的生活提案

本身就是念服裝設計的段凱隆，在服裝公司作了 10 多

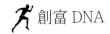

年的設計師，幫中國、中小企業、Mondaine 等等做過品牌經營與設計開發，從服裝本業到設計相關展業都有所接觸，也因為協助過他人做了很多產品，漸漸開始有人向他提議「欸！那你要不要自己來做點自己的商品？」段凱隆坦言其實自己一開始只是為了好玩，但也剛好很幸運的是有朋友在誠品可以幫忙，於是就開始了。

時間可以追溯到 7、8 年前，電腦已經很普遍，但筆電包還沒有開始普及的時候「為什麼電腦包要那麼醜？」這是段凱隆最感到不解的事，於是品牌的起源其實是從日常生活中的美學上率先發難，目標是想要做出可以解決大家生活問題的產品。

「可能女生拎一個名牌包，但是手上又拿一個黑黑的、很醜的電腦包，那我就覺得說為什麼不可以把它們變好看？」所以「以愛出發，細心觀察」是我們創立第一年的目標，於是就有了 love bag 這樣的品牌，叫做愛袋，就是以兼具功能性和美感的原點作為品牌首發。

面朝向多元轉型

然而，要做台灣本土的設計品牌並不是那麼容易，許多

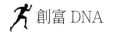

國人還是會偏向選擇國外的品牌，而非本土的原創設計，所以段凱隆在品牌的經營過程，也經歷了多次的轉型，過去大概每隔 1、2 年品牌就會轉換一次。

「例如最初的 love bag，一開始只是因為好玩而投入，但後來名稱被拒絕，品牌註冊失敗，所以開始面臨品牌經營的第一個抉擇，畢竟才剛開始的話，要收手還來的及，那到底是要做還是不做呢？」

「在決定要繼續後，品牌作了很多的調整，開始有一些外援、參加很多政府的展覽、輔導案，也得到蠻多支持，正因為這樣才開啟了後續比較大的轉型，認真說起來，可以分成三個階段，歷經這幾個階段的成長陣痛後，才變成今天的樣子。」

目前品牌總共有 3 個系列：A+more 愛加丹尼是自由品牌、Amore CLUB 是選品店、Art MORE Club 則是偏向藝術類。

營造共同體驗的空間

「我們的初心，不是只做一個品牌，因為在我們的店裡

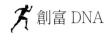

會看到很多不同的單品，其實這些是不同的創業者，只是我們協助大家整合在一起，各自會發展，但是在我們這邊我們就會共同幫忙這樣子，其實他們都是在線上，我們是唯一比較有實體的，所以就是用這樣的方式協助大家可以被看到。」

「我們的空間也沒有太大，希望把這個平台讓更多人共享，因為這個年頭生意真的不好做，如果就只是靠自己的資源會非常辛苦，而你只是想要自己好的話其實更難，所以就要讓大家的東西去做到可以彼此貢獻的地方。」

在創業的過程中，前 3、5 年段凱隆也接觸過很多類型的團體，像是創業、電商等等領域，也遇過很多志同道合的人，在品牌的資源慢慢成熟後，開始希望能夠將自己的資源提供給大家，讓許多不同領域的創作者，可以有一個被看到的空間。

與客戶互動的甘苦

此外，品牌成立至今已經 8 年了，客戶有時的回饋更會令段凱隆覺得十分感動，「有些客戶就會特別來說，我們的東西真的很耐用！那我問她需不需要舊換新的服務？他就說：『不要！我覺得這樣很好，你們東西都很好。』最後就

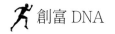

只能和他收維修的基本費用了，所以有時候東西太耐用對經營者來說也是一種困擾（笑）」

接著，段凱隆提起過去在專櫃時，體會到人的問題真的是經營裡頭很大的癥結點，品牌經營不只是策略、理想層面，而更是需要注意去拿捏與人相處時最適切的溫度「說到經營品牌最辛苦的地方，應該是我們經營專櫃，最可怕的是人！銷售人員、人事管理、跟客戶的互動，那 4 年的 2 個專櫃，真的非常驚心動魄，很熱鬧，要一直調整人、專櫃、百貨的問題，真的非常精彩。」

成為 Top Sales 帶大家前進

那當時是如何渡過那段人事問題的過渡期呢？因為面臨百貨業緊繃的業績壓力，並沒有太多的思考空間，就只能專注於把眼前的問題一個個解決「那時候不能想太多，因為你要處理不同的狀況，每天都要看結果、報表！營業額就是代表一天的結果，我們能不能把營業額轉化成不同階段或是其他可能性？所以那時候調整是非常辛苦的。」

「也要付基本成本開銷，營業額不好的時候，商品的調整、陳列的調整、人員的訓練、心理建設，各方面都要做很

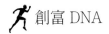

多的事情！」

「其實一個經營者也要成為 Top Sales，你才能影響你的團隊，去一起做對的事情，我覺得唯有成為那種最清楚自己專業的人，才能夠準確地去傳達出這些東西所要的方向。」

而為了達到這樣的目標，段凱隆也積極利用晚上的時間進修，但他不忘提醒大家，因為現在外面的資訊實在是太多了，許多學習的資源必須要針對自己的需求去慎選，「要找到對的平台去做多方學習，增進可能會用的到的東西，那幾年除了經營以外，電商行銷也開始了，臉書、ig 你要怎麼投廣告啊？怎麼做策經營等等都要不斷地做功課。」

同時，因為創業所認識的夥伴，也提供了他很多思考的空間，雖然每個人的經驗都無法全然地複製，但是可以藉此調整自己的心態，也就是我們可以讓自己走去哪裡？其實後來就會發現中間發生的事件都只是事件，維持初心是最重要的。」

鑫鋝創意

- 官網：https://www.amoreclub.net/
- 臉書：https://is.gd/WDMv71
- 電話：02-2707-3420
- E-mail：daniel@amoredaniel.com

/採訪
後記/
謝·晨·彥·博·士

「男性開始注重時尚也算有些年頭了，但相較於女性，對於自己貼身物件的挑選，男性還是較為注重功能與實用導向，這可能也是大部分男人的天性。」這是這次訪談中，與鑫錡創意的創辦人段凱隆 (Daniel) 所聊到的一段話。

或許是因為我自己從事的行業，要經常在人前曝光，所以對自己的衣著會比較講究。但確實如 Daniel 所言，仔細在路上觀察行人們的穿著，有些人休閒服可以穿得很時尚也不浮誇，但有些就真的是不修邊幅。雖然人各有所好，但相信大家還是會比較喜歡美的事物。

但非得要國際名牌才時尚得起來嗎？很多 MIT 的設計也相當的棒，我相當認同 Daniel 所說的，在正式場合中，為了突顯身分或地位，確實得用名牌來裝扮自己。私人聚會或一般公共場合，國人設計的品牌，也可以讓自己看起來有時尚美感，同時也不會像穿戴國際名牌時有那麼大的壓力。

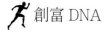

對世界的愛，從我開始

《專訪－陳科維設計工作室 創辦人 Alex》

源自母親愛與期待的設計之路

「我從胎盤期的時候就知道我要當設計師了！」訪問的開頭，陳科維（Alex）就非常直率地拋來一記快狠準的直球，話音才剛落，就讓我們感受到他對服裝設計十足的熱愛！

從小居住在國外的陳科維，母親是一位鍾情於設計與藝術的芭雷舞者，在家庭環境耳濡目染的薰陶之下，也漸漸觸發他想往設計領域發展的決心！曾到著名的 Central Martin's College Of Art and Design（英國中央聖馬汀學院）、London College Of Fashion（倫敦藝術大學）求學，也於巴黎短暫住過一年，之後在紐約發展。

「從英國搬到紐約的時候，一切都要重頭來，由最基礎的部分開始，不管是幕前或是幕後，都要學、都要看。」

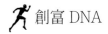

陳科維認為自己是個非常熱愛工作的人，在紐約的期間擔任了 Armani exhange 的銷售人員、進入自己最鍾愛的品牌 Versace 工作、最後則選擇到 Proenza Schouler 去拓展更多元的風格，在歷經過眾多品牌的磨練後，讓他累積到非常廣泛的銷售經驗，更在當中獲得了許多肯定與信任。

在工作了兩三年後，漸漸開始萌生自創品牌的想法，於是在 2008 年於紐約創立了自己的品牌 Alexander King Chen，品牌中的 King，其實是為了紀念媽媽的姓氏「金」，同時也感謝家人一路以來對自己的啟發與支持！而在品牌創立後的半年，因為要照顧生病的父親，才轉而將品牌移回台灣繼續發展。

The volcanic designer

陳科維的足跡，從英國的求學生涯、法國巴黎的短居、到美國紐約的自創品牌、還有現在的台灣台北，這樣橫跨東西、現代與傳統間的經歷，更是豐富了他的創作生命。

在 Alexander King Chen 的官方網站上，他是這樣描述自己的創作風格："My style is modern yet cultural, simple yet theatrical. I always look into the past and the future to

create symbiotic relations for my collections." 因此，在陳科維的作品中，總是可以看見他嘗試將未來與過去間的對話融入在設計當中，創新的同時又有著復古的層次感！

就曾有義大利的記者，稱他就像是火山一般令人驚艷的設計師，非常強烈的熱情、各種不同程度的衝突美感，總是可以在他的設計裡找到對話的痕跡，他就是能一如既往地在不同文化的間隙裡找出設計裏頭獨到的美。

然而陳科維也坦言，在服裝設計領域，每個國家都會有不同的喜好、年齡層、風格等等，設計師常要因地制宜，依照當地的生活風格，隨之調整成符合需求的時裝。

「在紐約就是黑白灰，是為了配合當地很多上班族，當然也是有一些派對啊，但我就變得比較不敢用顏色、或是其他多餘的裝飾。」

在來到台灣之後，因為文化開放、大眾對各類型的服裝接受度都很高！如此充滿彈性的創作空間，更是令他感到非常開心「其實台灣人很大膽，很敢嘗試顏色、也很喜歡穿顏色，這讓我在設計中，可以更大膽去嘗試設計風格。」

忠於自我的品牌藝術

其實對陳科維而言，透過近幾年的轉變，才慢慢更深刻地體會到服裝設計對自己的意義，以及經營自我品牌的快樂秘訣，「開公司中會有很多的面向，之前發現自己有點偏向商業，但是近幾年就開始調整過來，其實這些東西，有些人可能 10 幾歲就知道，有些人到 30 歲才知道，那我覺得我終於找到自己的路線了！」

「我不是一個商人，所以我不會去真的很涉略商業的東西，當然有些服裝真的造價高昂，我沒有往那裏去想，因為我真的想做的是我的心聲！」現在的 Alexander King Chen 並非以營利為最主要的目的，而是想藉由設計，將心中的理想傳遞給大家。

最愛的 Roaring Twentie

而或許就如 Christian Dior 所言：「時尚是一種幻想產品。」陳科維希望透過自己的品牌提供給大家一種全新的感受，可以跳脫日常生活的軌跡，去找尋遠離煩憂的甜蜜航道。

「我一直覺得我生錯年代，應該生在 1920 年代！那時

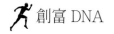

的生活風格，給人開心的感覺很華麗、很復古，剛開始創立品牌的時候，就很喜歡華麗的東西。好像穿上我們的衣服之後，會變成一個很好的人、很善良的人，給大家一種很奇幻的感受！」

其實 1920 年代又被稱為咆哮年代 Roaring Twentie，如同電影 The Great Gatsby 的世界裡，到處充斥著享樂、快樂的氣氛，Flapper Girl 更是當代流行的經典，象徵女性被解放後的自由、華麗、中性、與超現實的氛圍，而這些設計語彙也很常在陳科維設計的禮服中出現。

珍視奇蹟般的秀

「成就感，我想說有、又想說沒有，時裝秀是我們全體的同仁，用六個月的時間準備一個十分鐘的秀，就算當下可能有一些錯，但我還是非常感謝大家。」全體團隊花了半年，只為了約 15 分鐘如煙花般燦爛的時裝秀，所以每一場演出，都是團隊最大的榮耀，對於每位團員的付出，更是十分感激。

然而陳科維也笑著說，自己的姐姐在不久前就曾問過他，為什麼辦了這麼多場的秀還是這麼緊張？但這或許就是設計師對自己的高標準，每一次秀都希望是最好的呈現。「我

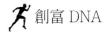

覺得第一場秀的心情和現在還是一樣的，因為我們系列每場都不同，我的模特兒、衣服、音樂、影像、主題，都不同，所以每一次其實都像是從頭開始的！」

請創造出自己的風格與時代

「真的是你要有很大的 passion，要有很大的心、很大的愛，去給服裝」訪問的最後，陳科維也對於現在的時裝產業，表達出他的擔憂！尤其是當時尚與社群越來越密不可分，現在的設計師更要有足夠的熱情去面對這一切，不然其實很容易被消耗。

接著陳科維舉了電影的例子繼續解釋「你有沒有看過那樣的電影，大家的衣服都只剩下中山裝，顏色只剩下黑白灰，品牌也只剩下一個，就像是 CUCCI，而餐廳就只剩下麥當勞，就是因為社會主義過頭了、大公司太大了，我們也都翻不過來。」

「所以我要說我們真的要相信自己！假如我們不去做希望要表達的東西的話，那其實很快就會被大公司淹沒！」

陳科維設計工作室

· 官網：http://www.alexanderkingchen.com
· 臉書：https://is.gd/BBC8jy
· 電話：02-8773-7000
· E-mail：info@alexanderkingchen.com

／採訪後記／

謝·晨·彥·博·士

Alex 老師位在八德路上的工作室，一進門後就能看到他們拍攝 MV 所搭建的場景，猶如進入一個夢幻國度。來到三樓的工作間，大量的服裝、道具、人體模型以及裁縫工具映入眼簾，這裡便是 Alex 與團隊夥伴們實踐夢想的空間。

「我從胎盤期的時候就知道我要當設計師了！」這是我們坐下來訪問後，Alex 回答我問題的第一句。家族經營跨國企業，傳統華人家庭總會期望自己的下一代能成為企業接班人、或是擔任要職，但家人給 Alex 更為寬廣的道路，讓他飛向自己的天空。採訪當天 Alex 正為接下來在紐約的服裝展做最終確認，現在的他已經在服裝設計領域的國際舞台上，閃耀著耀眼的光芒。

在創作的行業中，我想，最重要的便是讓自己的作品與他人產生共鳴。Alex 透過自己傾心設計的作品，來與他人對話、闡述自己對事物的想法。一場秀，可能只有幾分鐘，但卻是他傾注所有情感與你的對話。

125

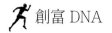

為愛堅強的創業身影

《專訪－康妍養生館 創辦人楊華》

「只要有任何人有困難、想學技術，你都過來，我都會提供任何資源讓你學習！這是我秉持的理念。」因為康妍養生館的創辦人－楊華（楊姐），當初一個人來台創業，是經歷了一切後才熬過來的，所以現在如果有人想要學習經絡、美容養生等等技術，她非常願意提供資源給大家，只願如同她當初一樣艱辛的人，也能習得一技之長，讓經濟穩定下來，給家人有個無憂的生活。

獨身來台，以技術獨立創業

當初獨自一人從大陸過來台灣，在沒有學歷、沒有背景、沒有朋友的情況下，為了要養家活口、更為了要活著，只是

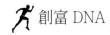

這樣最真切的理由，開始學習經絡和穴道的技術，最初先和同事之間互相學習，而在大約半年後，開始發展出自己的一套模式，並且在幾年過後，剛好把握住眼前的機會，才著手創建起自己的獨立事業，於是就有了如今的康妍養生館。

「創業至今歷經 3 年，中間有過無數次想放棄的想法，在自己一個人卻什麼都沒有的情況下，同時又必須撫養正值叛逆期的小孩，真的是度日如年，完全蠟燭多頭燒。」

「但其實這些都還算可以應付，最困難的還是資金問題，所幸，因著之前曾在大陸投資的房地產，剛好正逢獲利，於是恰好就解決了眼前的資金問題。」就在最需要資金的時刻，之前小額投資的房地產及時挽救了這個大難關。

如同命運安排的一家店

說到這裡，楊姐也跟我們分享了一個故事，如今回想起來還是有那麼點不可思議，但是這些的確都發生在自己身上，而她也對這一切充滿了無限的感激。

過去楊姐有去養生館的習慣，有一次，在與師傅交談的過程中，發現對方老闆有意將養生館出讓，於是這也萌發了

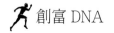

楊姐想要創業的念頭，但一開始楊姐並不打算獨自投入創業，因為她認為單憑一己之力就要創業實在是難上加難，然而，好巧不巧當時就出現了一位也想創業的朋友，於是兩人就打算將對方的店頂讓下來，合夥經營一家養生館，便一起向對方洽談交接日期，但沒想到，中途那位朋友竟然就從此人間蒸發，完全聯絡不到人。

同時面臨資金問題、合夥人無故出走的狀態下，眼見簽約的時間日益逼近，內心早已萬念俱灰，於是楊姐便去了台北的恩主公拜拜，也因當中籤文的一句話，「碧玉池中開白蓮」，而受到了鼓舞，接著在回家的路上更是遇到了一位算鳥卦的師父，楊姐心想，反正都這麼糟糕了，就算一個鳥卦吧，再怎樣的損失也不會比現在更慘。

結果，師父卻跟他說：「小姐，妳放心這家店是你的！」，一開始楊姐自己也不是很確定這樣的話到底有多少的真實性，於是就聯想起之前那支籤的涵義「碧玉池中開白蓮」，她疑惑著白蓮不就是和端午節有關嘛！接著就向師父詢問這當中是否有什麼連結，沒想到師父很肯定地答道：「你這家店會拖到端午節才會交接，但切記一定要在端午節之前辦好，不然後續會變卦！」

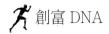

聽到這，楊姐心中從一開始的半信半疑，即刻有了更多的信心，就向師父表示後續如果成功的話，一定會再回頭包紅包以作為報答，此時，師父的舉動也非常有趣，馬上就從口袋掏出一張名片說到：「你這紅包我是要定了！」

接著，日子就這麼推進到簽約的時間了，沒想到對方卻無端發生車禍，而無法赴約，也因此就讓整個簽約流程必須往後展延，於是就多出了一個月的緩衝期，但比這更幸運的是，原本的資金缺口竟然在隔天，因為先前投資的獲利就全數到位了，結果整個過程竟然就在端午節前順利地辦妥。

回過頭來，楊姐也還記得要包紅包給鳥卦師父，而師父也趁機叮嚀她：「要對館裡的師傅好一點，不要做唯利是圖的事情！」而楊姐也將這些話謹記在心，現在公司更有個帳戶在做定期的捐款，以行善積德回饋社會。

現在的康妍養生館，坐落在台北市中山區，緊鄰內湖科學園區、附近也有著一些大型的醫療院所，「透過專業師流暢的手法，輕壓在您的穴道、放鬆您的身心，親民的價格、優質的服務，讓每一位來到康妍養生館的貴客都能紓解壓力、沉澱心靈。」是他們的經營理念，讓周圍的上班族在上班的時候，也能有一些舒緩的時光。

持續進修、深根專業

　　原先楊姐從事的是美容行業，之後才進到經絡、穴位的領域學習，她深知習得一技之長的重要性，而身為一個技術者，學歷並非絕對，但是技術的好或壞，往往就是決勝的關鍵，也因此必須要不斷地進修；此外，更不應該只安於現在的環境，而是要有隨時調配的動能，去應對顧客各種不同的需求、環境的特性等等，讓技術者的技術成為最重要的核心，這不只是一個謀生的工具，更是可以長期深耕、持續推廣的專業。

　　此外，來自大陸的楊姐，對於經絡、穴位等的中華傳統文化非常喜歡，她認為這種經典，是已經內化在血液裡的東西，很多外國人是學不到當中的精隨的，也因此感到非常的自豪，如果深入研究的話，雖然無法如同中醫一樣對人體有那麼深入的理解，但是對舒緩壓力、放鬆情緒等，都可以達到一定的療效，這對於現代工作壓力非常大的上班族來說，是再適合不過的一種方式了。

扎實的服務經營穩定的客群

　　「從美容轉換到養生產業，我們了解什麼是實在、什麼

是噱頭，就是要給客人最真誠、最實在的，所以我們的設備很簡單，但時間、技術絕對最實在。」公司的理念講究最實在的經營模式，希望給客戶最好的，讓他們記得這裡的好，店裡的放鬆氣氛、高品質的服務、和樂的相處氛圍等等，其他多餘的東西，就不是那麼的重要。

「有做廣告行銷，會到附近發小的面紙包，拜訪公司、飯店等等，加上我們師傅的技術都很好，但其實也還有進步的空間。」提到自家的師傅，楊姐更是感到非常自豪，相信一定能夠讓客人在這裡舒緩一整天的疲勞後，就能帶著愉悅的心情回家，或是繼續回到工作崗位上努力打拚。

康妍養生館

- 臉書：https://is.gd/gup0va
- 電話：02-8502-6900
- E-mail：kangyen132@outlook.com

謝・晨・彥・博・士

　　如果用一個形容詞來描述康妍養生的楊姊，那就是「堅強」。一位女性遠赴他鄉，沒有任何親友的援助，但是為了孩子、為了生活，一肩扛起所有的重擔，即便是在逆境之中，也是咬緊牙根撐著。或許，因為她的努力，老天爺看到了，讓她順利的創立康妍，實現了她的夢想。

　　儒家說「人必自助，而後人助。」在採訪的過程中，我一直在思考「在這樣的情況下，換成是我，受得了嗎？」但楊姊她堅持下來了。聽她描述康妍創立過程的故事時，心中真心覺得老天有眼。在最恰當的時間點，老天爺默默在她背後推了一把，包括與賣方簽約、資金所有的一切都來得如此合時。

　　創立了康妍之後，楊姊以第一線的立場思考，不只讓前來的客人能獲得頂級的舒適體驗，也提供良好的工作條件給師傅們，創造出真正舒適的紓壓空間。

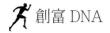
台灣的下一位 Peter Lynch

《專訪－生活投資學 專欄作家阿格力》

　　阿格力（許凱迪），是位畢業於台大的生物科技博士，曾經是台大優秀青年獎得主，有過銀行投資部門實習經驗，透過自學投資，讓他在出社會一年後就累積到了700萬資產。

　　其提倡生活選股法、購物車選股法，認為「選股要去商店街，而非華爾街」，在一般日常生活中就能找到獨有的績優股，並曾於2017年出版《我的購物車選股法，年賺30%》、緊接著於2018年出版《生活投資學》等書。

　　同時也擔任著「日盛證券」、「凱基證券」及「商周財富網」的專欄作家，目前已經擁有著約百萬觀看人數，在投資理財領域是一波不容忽略的新興勢力。

從實驗室到股票市場

原本是生物科技背景的他，擁有台大博士的光環，本應可以在本業上發揮所長，但為什麼沒有繼續走向生技領域？阿格力表示，生技產業本身的資本就很密集，也很偏像菁英式的制度，大家雖然會覺得好像獲利很高，因為博士畢業通常會有7萬左右，也會很不錯的配股等等，但是其實真的很大的公司也就那幾家而已，而一般的話除非你走技轉、或是有特別的專利才會真的比較好。

「大三就自己操作股票，投資台股10年，到我現在已經30歲了。」阿格力認為，創業就是要跟著時勢走，就像是一句話說的「在風口上連豬都會飛」也因此，他在畢業後並沒有正式進入生技領域，而是選擇踏入財經領域工作，開始擔任起財經作家、部落客，專門研究資料提供讀者訂閱，與此同時更開了一家公司。

那說到，為何筆名叫阿格力呢，「因為當初想養一隻法國鬥牛犬，看起來很醜，取這個名字改覺很療癒，想不到要取什麼名字，那就叫 Ugly（阿格力）好了，順便提醒自己投資市場是醜陋的。」而阿格力則希望自己在金融市場能扮演一個正能量的角色。

135

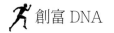

從小就有的創業夢

「我從小就很想要當老闆,曾經有算命仙,很有名的那種,有一次來我家,算一下就跟我媽說,以後這個小孩會當老闆!」這句話彷彿就永遠烙印在那位幼稚園小孩的心靈上,久久不能忘懷,前方就像是有一盞燈,指引著未來的他一定要有自己的事業。

「我媽做美髮,客人只要說她多有錢,我就會爬上椅子,問她能不能當我乾媽?」阿格力笑著開玩笑說,自己從小就很有投資理財的想法,總是非常積極地替自己未來的人生尋找機會。

然而其實阿格力的媽媽,在他很小的時候就有著投資的習慣,每天都會看股,也連帶激發了阿格力對交易市場的好奇心,小學三年級就利用歷年積攢起來的壓歲錢請媽媽幫忙買了股票,當時也很幸運地有獲利;但後來遭逢金融海嘯、2000 年的網路泡沫等等,景氣不好的狀況下,也暫時將對股票交易的興趣封存起來,開始很認真地念書,一直到研究所的時期,才因為做實驗的空檔實在太無聊,於是重新開始研究起股票。

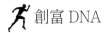

台灣的彼得林區

阿格力提倡的生活投資法，有人稱他就像是台灣的彼得林區，彼得林區 (Peter Lynch)，號稱是最傳奇的基金經理人，他的投資績效很高，甚至超越過股神巴菲特。

「投資人的命運，不是取決於股票市場或個別上市公司，而是取決於投資人本身。」、「買股票前先買房子，你有聽過哪個人買了房子卻賠了一屁股嗎？」這是出自於《彼得林區選股戰略》裏頭，很有趣的兩段話，當中的精神也和阿格力所提倡的不謀而合。

彼得林區 (Peter Lynch) 認為投資人一開始的態度，往往就會影響到後來的結果！而買股票前更是需要做足功課，應該要像買房子一般仔細，畢竟，為了買房子你會開始認真地考慮，那為甚麼股票你就會不理智地亂買呢？

綜上所述，生活投資法的概念，就是針對日常生活中去發現績優股，而非盲從財經專家、電視節目的聳動報導，唯有自己深入做足了功課，再去進行投資，才是正確的路徑。

「散戶不懂技術分析、沒有內線、沒有資金，所以我們

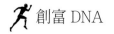

要有自己的玩法，那就是生活投資學！」以達到體驗生活、享受報酬的境界。「日常生活的許多消費都可以投資，啟發一般人如何投資、教你基本的財務指標、擬定存股計畫，讓你可以和企業老闆站在同一陣線。」阿格力解釋著。

是針對小資族、散戶的投資哲學，透過買自己認識的公司，像是超商類股、食品類股、生活用品類股等等，讓大家都能做自己的選股分析師，這就是他所宣稱的「確實了解、安心持有、長期獲利。」

績優好股投資心法

說了這麼多，那到底要怎麼選呢？阿格力所認為的生活好股需要具備這三項要件：

第一、抗通膨：像是食品類股，很多常會因應原物料、基本工資調漲而提高售價，但通常就不會再跌，這就是雖然通膨，但是因為是生活必需品，人們還是會買單。

第二、持續性：像是好神拖、芳香劑等，這是民生消費必需品，能夠有回客率的生意，有了一次的消費後，一定會再有第二次、第三次，因為產品的使用方式，這就是公司能

夠再賺錢的過程。

第三、有訂價權：能夠帶動市場價格波動的公司，可以自由地調整售價，銷售量也不會因此下跌太多。

而如果要更穩健的話，阿格力說一定要看財報！現在有很多網站都有提供 3 率，像是「毛利率」、「營業利益率」、「稅前淨利率」，那看前兩者就可以；或是董監持股的比例也是非常重要，如果公司的董監持股不高，其實是一定程度反映出公司的前景發展可能不太好。

「股票先想著不要輸，而不是怎麼贏！不是沒有發現好消息，而是沒有發現壞消息和風險在哪裡。」阿格力曾經於媒體受訪中如此表示，我們也在此次的訪談過程，了解到生活投資學，所強調的穩健獲利的觀念，畢竟所有的投資都是建立在一定的理解、全盤的思考之上，萬不可躁進。

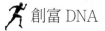

生活投資學阿格力

· 官網：https://reurl.cc/lLp7OQ
· 臉書：https://www.facebook.com/lifeinvestment168/
· E-mail：richlifeinvestor@gmail.com

/採訪後記/　謝·晨·彥·博·士

　　阿格力老師可以說是金融領域的超級新星，大家都認為這個圈子的人，如果沒有一點年紀，講出來的內容都要打點折扣。阿格力老師年紀雖輕而且非科班出身，但是，如果你認真聽過老師分析的內容，或是仔細閱讀他的文章，你會發現老師可是不折不扣的實力派。阿格力老師提供的內容一點也不輸給法人的專業研究報告。而且更好的是，老師的文章比法人的報告容易理解！

　　大家都說隔行如隔山，但行業的壁壘，其實可以透過學習來跨越，剩下的，就看你願意付出多少努力！阿格力老師自己也是透過努力學習，從生技領域跳轉到投資領域，成為台灣金融界的新寵兒，現在我們看到阿格力老師在螢光幕上的耀眼光輝，以及他在網路上獲得眾多粉絲的支持，這些成果都是他透過一點一滴的努力，所累積出來的豐碩果實。

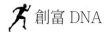

新しい世界へ踏み出す

《專訪－台灣北菱 總經理福島真一郎》

　　台灣北菱股份有限公司（Taiwan Hokuryo Co.,Ltd），於 1997 年在台灣成立。總公司是為位於日本石川縣金澤市的「北菱電興株式会社（ほくりょうでんこう）」，專職電器、電子機器裝置銷售的業務。

　　當初總公司為了能夠在海外購得更便宜的零組件，於是便積極在亞洲城市尋找拓點的可能，最初將香港與台灣兩地列入考慮名單，而後因為台灣長期以來與日本的關係較為親近，最終讓總公司選擇來台設點。

　　台灣子公司成立之初以電子零件、鑄造加工品出口為主，發展至今除了一般的進出口以外，亦為日本知名品牌

TRES沙發的代理商；與此同時也接受他社業務的委託工作。

單身赴任的海外職涯

今日我們採訪到台灣北菱的福島真一郎總經理（以下稱：福島さん），有20幾年出差生涯的他，除了在日本本國之外，更曾因工作跨足泰國、大陸、台灣等地，而有了家人的支持，也讓單身赴任的他非常放心。

福島さん在日本的第一家公司是專職機器製造業務，因工作的緣故被派駐到泰國，而後來也是有這樣的機緣，才進入現在的台灣北菱，更憑藉著過去的外派經驗，協助日本總公司將資源挹注到台灣設點，其實這一切都是那時候時機剛好對了！福島さん笑著說。

接著，有過多年出差經驗的他認為，在國外就職很大的問題就是文化和習慣差異的部分，但是這沒有什麼特效解方，就是要不停地透過同理心去理解對方和自己，唯有用這樣的方式去彌合彼此之間的差距，以增進更多交流的可能；此外，很重要的就是一定要有自己紓壓的管道！可以去健走、打高爾夫球、慢跑等，不管如何，就是要找出任何一件自己喜歡做的事情。

中、台、泰文化的大不同

而在待過這麼多地方之後，福島さん對於不同地方的人，所呈現出來如此不同的個性也感到很十分有趣！當然這也是一種學習的過程，去和不同背景、地域的人相處，同時也可以檢視自己本身的文化。

接著則是工作態度的差異，「在泰國就比較悠閒，而且台灣人和泰國人都比較會專注想眼前的事情，不會想到很遠的事，但這或許是日本人自己想太多的關係（笑）」

最後，福島さん則是認為台灣的女性員工在工作上都非常認真，有點出乎他的意料，「不知道為什麼，台灣和泰國的女性員工都比男性員工認真很多耶！所以目前公司就比較多女性的員工。」尤其是公司內部事務職的工作，專注、細心的人才更是不可或缺。

日本的常識，非世界的常識

「因為台灣這裡是透過總公司的直接挹注，所以資源、資金都不是太大的問題，比較困難的地方大概就是人與人之間的相處！」此外，在文化的差異上也造成與客戶溝通間的

困難，福島さん說尤其是和台灣廠商磨合的階段，因為對一件事情的認知程度不同，往往就會有不同的處理方式。

「台灣的廠商會自己改我們的圖面，其實那中間一整組不能換零件，但他們會因為可以降低成本，就擅自更改而沒有告知，殊不知其實當初會那樣設計是有原因的，如果要更改應該要先告知，讓我們知道才對。」這中間遭遇到許多與日本做事習慣不同的地方，就變成要仰賴不斷地溝通來相互了解。

日本有句諺語『日本的常識，非世界的常識』，因而理解雙方國家文化的差異與習慣，是在跨國商業往來中很重要的部分，雖然溝通的成本有時會讓這份工作變得有點吃力不討好，但如果能透過溝通讓案子（產品）順利地進行，往往也是讓福島さん感到最有成就感的時候了。

深根台灣 20 年，積極拓展業務

其實從 1997 年台灣子公司設立至今，已經超過 20 年，近年來則積極利用過往的資源進行轉型「在這幾年來我們專注於部品零件的採購，並無發展其他業務。但從 2018 年開始，總公司對於公司方針做了調整，台灣加入新的經營業

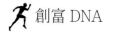

務。」

「因為日本的總公司，有一些新的經營理念，覺得台灣是不是可以做一些新的業務？其實一直以來都在做進出口，那能不能從日本進東西來賣呢？」但台灣有非常多的日系產品了，所以這方案也不太可行。

後來，想到軟性的服務可能是其中的一個突破口，畢竟在地經驗，對於商業而言非常重要，「最初是和日本的通關業者聊天，有客戶在台灣有據點，但因為人事成本真的比較偏高。」

「他們的業務，就派一個員工在一間租來的小辦公室裡面工作，因為業務也還不太多，但就是要聘請一個人來處理，可是就變成一個人在小小的空間工作，那想起來那樣工作也很灰暗啊！因此流動率也很高。」

所以後來就幫對方處裡，整個過程當然也仰賴著雙方對彼此的信任，但同時也發現了新的商機，可以好好發揮在台日商的角色「不只販賣實體的物品，無形的業務也可以，所以後來就覺得業務代行是可行的！現在有一間長期配合的公司，委託我們去代行他的業務，發現台灣的日文翻譯、口譯

需求很多，所以就有這樣的市場。」

「去年成立販賣部門，今年 6 月又增加了翻譯、口譯部門，對我而言感覺就像創立新的公司一樣，很多事情必須重頭開始。」雖然看似有很多不同的困難，一切都還是新的開始，但是福島さん依然非常堅持，相信自己能善用過往的經驗——擊破超越它。

新しい世界へ踏み出す

這樣的經營模式其實也可以回扣到日本總公司的精神「新しい世界へ踏み出す。來自日本，職人品質！」希望能將日本的高品質帶向新的世界，朝向更好的發展，更用「Hello。World ！ Try the Next」的態度，向大家宣告說，他們已經準備好了。

台灣北菱股份有限公司

· 官網：https://hokuryo.com.tw/
· 臉書：https://www.facebook.com/hokuryotw/
· 電話：02-2751-7084
· E-mail：info@hokuryo.com.tw

/採訪
後記/
謝·晨·彥·博·士

　　學生時期看著電影中的商務人士，飛往世界各地出差，洽談公務的同時，還可以接觸異國文化，心中非常嚮往這種邊洽公邊旅遊的工作型態。畢竟我不是一個喜歡待在同一個地方的人，所以自己也選擇進入一個會經常出國出差的工作。不過理想歸理想，當實際接觸到其他國家人們的時候，文化上的差異有時還真變成了溝通上的鴻溝。

　　「台灣北菱股份有限公司」的福島真一郎總經理，是一位在海外閱歷相當豐富的日籍商務人士。在面對不同的文化習慣時，他總是先以對方的立場來思考，再進一步和對方溝通，總是能夠讓整個洽談過程圓滿落幕。對於一位赴任海外的商務人士來說，這或許是應該具備的基本能力，但真正執行起來，卻相當不容易。這除了是福島先生本身的人格特質外，受過日本企業嚴謹的訓練，也是讓他能在職場上得心應手的一大主因。

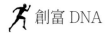
窺見物聯網的獨角獸新星

《專訪－3drens 創辦人余嘉淵》

台灣微軟遇見的下個獨角獸

在今年 4 月，微軟新創加速器宣布了台灣第一屆的獲獎名單，在 100 多組的入選名單中，最終僅有 14 家公司獲得挹注，進而才有獲得微軟雲端產品 Azure 的支援、以及高階主管或技術專家們擔任導師等等的機會，期盼以微軟佈局全球的頂尖資源，幫助新創團隊完整未來的商業模式，藉以扶植台灣的新創發展。

而各個團隊的領域涵蓋了從人工智慧、物聯網、區塊鏈、到 VR 等等，當中熱度最高的仍是人工智慧與區塊鏈莫屬，3drens（三維人）就是其中的一家，他們以首創的「車聯網

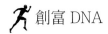

行動定位數據平台」為商用車隊的營運業者提供智慧出行的服務，今日非常榮幸地訪問到 3drens 的創辦人余嘉淵，在他百忙的專案之中，抽空向我們分享他的創業故事。

用創業暫別七年的工程師生涯

"I have a dream. I design, and I do it." 這是三維人的公司理念。三維人是最初由台大、清大及南加大畢業生組成，具有通訊技術及 IoT 行銷管理專長，目前主要專注於軟硬體整合、機器學習 IoT 雲端平台開發等等。

而創辦人余嘉淵自己也有另外的稱號 "oeo"，這個來源是過去童子軍裡面的隊呼 "oeo~eoeooeo"，因為很喜歡這樣正向的感覺，於是就有了這樣的稱呼。

最初，余嘉淵在科技公司擔任工程師，一待就是七年，「因為在大公司裡面，就像一個小螺絲釘，每天就是用同樣的軟體，盯著電腦打程式，在處理同樣類似的問題」這樣一成不變的生活，也讓他有了想要轉換的想法。

「2014 年就想創業，也引進了台灣第一個 3D 印表機，想集合全部的人做一個整合的平台，不只是要做硬體或是系

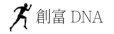

統而已,而是要做整個服務!但是當初沒有下定決心、也沒有夥伴,所以後來就失敗。」

登山安全裝置的創業起點

而繼續待在原公司的情況下,余嘉淵依然還是不放棄,反而轉以另外的方式經營自己,包括學習交易、股市、金融操作等等,但因為某一天無意間和好友聊到創業,就萌生了是不是可以利用科技做點什麼的想法。

「同學的爸爸是一位登山好手,但卻不幸發生山難,因為山上沒有訊號,也不知道怎樣求救,於是就過世了,但也激發出團隊的新想法,找了開發版,並同時引進物聯網的技術,希望讓一起登山的人,即使沒有手機訊號還是可以互相聯繫!」

其實這樣的問題一直存在,但是沒有人透過新的方式去提出解決方案,因而這樣的概念就誕生了登山安全裝置「雪巴(Sherpa)」,並讓余嘉淵與團隊於經濟部舉辦的通訊大賽獲得冠軍。

然而,有了產品原型後,發現更麻煩的問題其實還在後

頭，「一開始是以 B2C 的方式，直接和消費者溝通，但因為我們的產品會遇到消防署的人，就會變成一個 B2G，然而消防署其實不太相信剛創業的我們，所以就算一切都想好了，但還是決定停止，畢竟這樣的商業形式，沒有辦法給投資人立即的交代。」

「因為團隊沒有太多資源和政府打交道，於是這樣的概念就先放著，或許以後會有更好的可能性，也能再繼續發展也說不定。」畢竟當最重要的資金問題沒有獲得解決，也只能將好的創意暫緩。

然而我們也好奇，這樣的技術或許可以和 GoPro 整合，讓喜愛從事戶外活動的人，能有更安全以及更便利的體驗，但余嘉淵也坦言，這當中所牽涉到的問題不只是技術，而是大公司、小新創之間最現實的差別，也就是技術和市場間的角力戰。

「技術是 3drens 公司最引以自豪的資產，但是除了技術之外，其實更重要的是市場！如果我們這個東西沒有專利、通路的話，那大公司會覺得為甚麼他們不要叫自己的技術團隊弄一弄就好？那如果我們自己有技術、也有市場，大公司或許就會考慮買下來，這樣對他們來說比較省。」

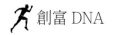

而在經歷過那次比賽後，雖然沒有成功打開後續的需求市場，但也替團隊打開了知名度，開始有很多媒體的採訪、也有新的資源慢慢進來，更有電信公司積極向他們聯絡。

「或許可以和車子作結合，這樣的商業模式不用和政府打交道，欸！你看新方向耶！就可以用相同的技術轉型到不同的市場。哇！原來車聯網是一個這樣更大的市場。」因此產品實現的困難，最終用轉型去克服，以同樣的技術，從登山救援轉換至車聯網服務，讓市場更加寬廣。

好夥伴、好環境的激勵效應

「因為我是台大的學生嘛，要創業至少也要有個空間，或是放個電腦！後來就發現台大有一個車庫，有空間、有導師，哇真的很棒！其實創業真的很孤獨，但如果有一群人、或是一些好朋友可以給你一些分享、取暖的話，就蠻好的。」在進駐的過程中，台大創創的資源幫助了團隊很多，讓剛開始以小資本成立的他們，克服轉型中間的過渡期，並成功邁向國際。

剛開始先透過個別接案的收入慢慢累積，進而再藉由比賽拓展知名度，形成一種正向循環的流程，讓公司的體質漸

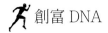

漸地穩定起來，「最初四個人籌了 100 萬就開始了，接著很幸運有電信公司注意到我們，所以就先簡單地設計實作了一些小案子，就慢慢有收入。」

「還有政府的補助、小比賽的收入等等，而且參加比賽的好處就是可以磨練團隊，真的也是因為找到了好夥伴，讓我們的新創企業穩定成長！而且台大的資源很夠，創業環境真的比之前好很多。」

成為「台灣的 Google」為目標

目前創業約兩年的 3drens，團隊的組成背景都是以技術為主，也因為程式就是三人的共通語言，彼此就會用類似的邏輯進行思考，這對於團隊的運作來說，在溝通上會更順暢、但也會有無法發現盲點的疑慮存在。

「我們三個人都是技術出身，最擅長的是寫程式，，所以在決定事情的時候總是可以很快判斷可不可行，可行就去做，若是不可行還會互相用程式來驗證模式的可行度，因此優點就是有執行力，溝通的過程上也沒有太多問題，但就會比較缺乏財務、行銷背景的人才。」

三維人

- 官網：http://www.3drens.tw/m/
- 臉書：https://www.facebook.com/3drens/
- 電話：0937-260-185
- E-mail：oeo@3drens.com

/採訪
後記/
謝・晨・彥・博・士

　　3drens 執行長余嘉淵，是一位不斷往人生高峰邁進，充滿活力的年輕人。早年在內湖科學園區（以下簡稱內科）的科技公司擔任主任工程師，余執行長當時便已擁有令人稱羨的職務與收入，但卻已經在思考人生的意義。正如他經常參加三項鐵人競賽，他認為自己的人生就是應該要不斷挑戰自我，超越顛峰！

　　出來創業，對余執行長是一項全新的挑戰。以前在內科，只需處理好手中的案件即可，但擁有強烈企圖心的他並不滿足現狀。與幾位長年認識的工程師夥伴，鎖定物聯網題材即將發酵的時機，一同組建團隊踏入新創圈。

　　從這一次的採訪內容中，你可以發現，不管是在個人，還是團隊的事業發展。余執行長是一位持續挑戰自我極限，並讓自己維持成長動能的積極型創業家。

157

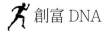

直面心中理想，60 創業的第二人生

《專訪－統一旅行社 總經理孫運琦》

　　統一旅行社成立於民國 54 年，迄今已走過半個世紀，見證了台灣旅遊業的劇烈變化，在越來越競爭的產業環境下，歷經近幾年的積極轉型，讓人好奇，在這轉換過程中，統一旅行社是如何再創佳績？今日我們難得採訪到，統一旅行社的孫運琦總經理，來聊聊他在旅遊業的職涯歷程，以及近幾年創業的故事。

　　對於孫總經理來說，統一旅行社是為了落實每人理想與信念，進而證明自己和實踐使命感的地方。目前公司有許多同仁，都是相處多年的資深同事，大家情義相挺，想挑戰自己的能耐與實力、或打造夢想中的工作環境，彼此攜手共同創業，積極面對不同的挑戰，如今，這樣堅實的團隊也締造出亮眼的佳績！

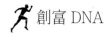
「我等於是 60 歲創業，和這些同事們相處了很久，最少的一起打拼都有 25 年以上，那我其實就有責任要去扛起來。」

創業是一條會帶給自己和團隊各式各樣挑戰的路，但同樣的，也會有許多機遇去贏得更精彩的掌聲，孫總經理坦言在踏出第一步前，也是差不多想了一年之久，而如今支持他的是經過多年相處的堅挺團隊，孫總經理更常常自豪地說：「我有很好的同仁和扎實的團隊，大家敬業的精神都非常好，這真的是非常專業的團隊！」

回想起創業最初的過程，孫總經理更是感性地說，因為各位老同事胼手胝足的努力，無私付出，共襄盛舉，才能很快地在短期內完成階段性願景和經營目標。雖在創業初期難免有多方的考量，亦曾陷入左右為難，進退維谷的尷尬局面，但憑藉團隊深厚的經驗與持續不懈地努力，都讓整個團隊擁有可因應瞬息萬變的競爭力和奮力向上的氛圍，這也讓他更有信心，能放手一搏，持續為團隊注入更多熱情和能量。

回憶到此，孫總經理說：「後來想想如果連這麼好的團隊都會失敗的話，那還有甚麼是會成功的呢？」

在過往成長裡學會自立

　　從過往父母親的身教，培養出孫總經理十分獨立的處事態度，不管是就學、工作，都不仰賴他人之手，堅持靠自己的力量完成所有事，這也連帶影響到他對待同仁的方式，他鼓勵大家要一步一腳印地踏實工作！在這過程中的所做所學，都是未來的養分。

　　「父親是公務人員，媽媽也在上班，家裡生活算是小康，因為家人都在外工作的緣故，就比較少管教我們。」

　　「像是北投有個地熱谷，我從國中開始就批發雞蛋在那裏賣；高中是在親戚的餐廳裡打工。所以從高中後我就沒有向家裡拿過錢，需要的生活費都是靠自己賺來的」

　　「高中畢業後，我就進入前東家打工，民國 67 年到金門當兵，退伍後，原公司邀請我再加入，就持續在旅遊產業耕耘至今。」

　　孫總經理進社會後，開始積極地進修，也到基督學院裡就學，逢民國 68 年觀光開放的時機，旅遊業正蓬勃發展，也就是從那時至今，便種下了與旅遊業的不解之緣。

廣納人才海納百川

在每個企業中，一個好的團隊擁有彼此互助合作思維且擁有高穩定性特質，便可面對各種不同領域的挑戰，且往往能發揮令人驚豔的成果。

對於新創企業來說，專業團隊更顯得無比重要，孫總經理對聘用人才和活化企業內人資有獨到的見解和看法，他認為一個和諧互助、獎懲分明的活力職場，是吸引優良同仁並使其努力不懈的不二法門。「良禽擇木而棲，人才亦然」，如鳳棲梧桐，打造出好的工作環境與職場文化，才能吸引更路英雄好漢不斷活絡公司文化和戰力。

「即使是旅行社副總級的也帶他們的團隊過來喔！我們的業務量是穩定成長，所以說一個好的團隊真的太重要了！」

創業對孫總經理而言，更像是提供給有志的同仁一展長才的舞台，也是在一呼百應下，讓各路好手都團聚在這裡，而他更是非常感激有這樣的機會，讓公司能夠在競爭激烈的旅遊業中穩定成長，並順利達成各階段目標。

走進統一旅行社可見到多幅字畫和國學裱框，而毛筆提字「莫忘初衷」四個大字更是隨處可見，不論由篆書、草書或行書揮毫而成，均是希望自己和團隊能傳承最初的信念，能將這樣的精神和使命感緊繫於心，不忘記當初的決心，堅定勇敢地往前，在遇到困難和挑戰時，仍能保有熱忱，盡心盡力做好每一件事，一步一腳印，走出未來美好的道路。

謹言慎學的社會功課

孫總經理在創建事業初期，以前的各方好友就是最大的貴人，會彼此互助且提攜「只要覺得這個人不錯就和對方交個朋友，在社會上朋友太重要了！我喜歡跟朋友大家聚在一起的感覺，大家志同道合就會有不同的好的人加入，彼此的關係就更緊密。」

在人生中的每個階段都會遇到各種形形色色的人，很多都是可以互相觀摩抑或是效法的對象，「他一定有他的特色，我都欣賞對方的優點，盡量去和對方學習，廣結善緣是很重要的！」

此外，在與眾多企業家往來後，孫總經理認為「謹言」也是當中的關鍵，所謂成功的人都會有一種自若的泰然氣

度，因此要學習在謹言中鍛鍊自己的心智，穩住心性而不妄言，是自我修持裡很重要的一環。

追求超越滿意的極致體驗

接著，孫總經理向我們談起公司的經營方向，他指出，所有旅遊行程，公司都堅持做到最好，這些不僅是企劃人員多年經驗累積的成果，他自己更是會親自走訪與了解，甚至如果客戶有推薦好的景點和需求，公司都會盡可能地採納，目的就是希望設計出讓客戶最滿意的規劃，秉持「以客為尊、無微不至」就是公司的目標。

統一旅行社

· 官網：http://www.gtstour.com.tw
· 臉書：https://www.facebook.com/GeneralTravelService/
· 電話：02-2546-0101
· E-mail：service@gtstour.com.tw

　　所謂物以類聚，一位帶有正面能量的人，自然會吸引與他磁場相同的人前來，而這種正面疊加的效果，便會讓整個團隊的正能量倍數擴大，更加吸引到對的客戶、以及對的合作夥伴，讓整個公司充滿了朝氣與活力！

　　如果要用一句話來形容孫總，「謙和的智者」一點也不為過，訪談過程只要談到公司的發展、業績成長，孫總都將功勞歸於團隊的努力付出。但明理者都知道，為上者行為若不正，又如何能激發部屬們替公司奮發賣力。不僅指出公司明確的經營方向，讓公司業績快速又穩定的成長，並逐一落實當初的承諾，能在將近三年達到這樣的成績，絕對不可小覷孫總背後的功勞。正是這樣的魅力，讓他的團隊願意加倍努力，在這寬廣的舞台一展長才，因為大家都知道，有他在後面掌舵，大家的努力絕對不會白費。相信統一旅遊在競爭白熱化的旅遊業仍能持續開闢藍海。

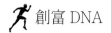

信心而行的無限正義之路

《專訪－昱果法律會計聯合事務所 所長趙耀民律師》

「你要是再多說一句，我就立馬收你 50 萬商談金。50萬，50 萬，50 萬哦，我會給你寄賬單的，50 萬！！！」、「正義可以用錢買到，拿錢來！」這是出於知名法律劇《王牌大律師／Legal High》裡的經典名言，劇裡由堺雅人飾演的的古美門律師不信正義、不在乎真相，唯一所追求的就是金錢！

因而若是提到律師、或是法律人，社會大眾往往會將之與影視作品中的角色連結起來，讓「魔鬼代言人」這樣的形象深植人心，但法律工作者的樣貌真的是這樣嗎？看似神秘又充滿距離感的行業，將透過今天的訪談，讓各位讀者對法律產業有更深刻的了解，律師並不永遠只是站在天枰上最邪惡的一端；有時候，更是體現著社會的良心，替國家堅守住

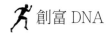

人權的最後一道防線。

今天非常榮幸採訪到，昱果法律會計聯合事務所的所長，趙耀民律師（以下簡稱：趙律），向我們解答律師職涯的甘苦，相信親切的趙律，會帶給大家對法律人耳目一新的感受。

鍾愛思考、辯證的法律邏輯

「最初會踏進法律的領域，是在高二時，受姐姐男友的影響，認為念法律會討論許多有趣的議題，當時很喜歡那樣子透過思考而相互辯證的過程，因而在一來一往的討論中，對法律開始產生了興趣。」

這時，趙律師也舉了一個例子：「如果有人趁你開車的時候，把菸頭丟進來，結果肇事了，那是要處罰丟菸頭的人、還是要處罰開車的人？」你覺得呢？這裡可以針對肇事所要處罰目的或是對象下去延伸討論，各位讀者也可以思考看看，自己所認為的答案。

可能有人會疑惑，這個情境通常不會發生，那討論的實益何在？但是法律所思考的議題，有時就是會將無關的事項

簡化，進而只凸顯出當中的爭議點，看起來荒謬的目的就是要去考驗你的價值權衡，答案往往沒有絕對的對或錯，而是你說理的邏輯是否順暢、是否足以支撐論點而去說服他人。

因而所謂法律人的訓練，就是透過邏輯的縝密形式去推展出對事件的價值衡平，最終培養的是論證、說理的技巧，到最後或許有人會懷疑自己為甚麼要念法律，但是千萬不要懷疑法律系的題目，不然你只會更懷疑人生。

深入了解以活化法律的靈魂

然而其實法律系四年的學習，就是不停地透過實例題，去訓練學生如何在一個案件中，正確地認事用法，但法律的體系繁雜，不免讓人有法律系的學生是不是都要很會背誦、辯論的刻板印象。

因此，趙律緊接著向我們解釋，因為台灣的法律體系偏向大陸法系，會有一套既定的標準流程，所以如果能將體系、架構建立清楚的話，往往能收事半功倍之效，也就是在不斷累積的過程中，去培養出自己的法感。「念大學的時候還不能很理解教授在講什麼，等到我自己在準備考試的時候才理解到，法律其實不是真的要死背！」

「那我們熟悉了這些東西之後，就是我們律師的武器，不是說每一條都可以背得起來，但是大項目我們都知道。」因此法律主要還是熟練度的問題，如果你都了解背後的立法目的、法條原理與原則、甚至是實務運作上的困境等，那其實不用死背就會記得。

考不到就是 +365 的國考試煉

但是，過去在法律界也曾經流傳著這麼一段話：「我們法律人是沒有在過聖誕節的！」現在的資深律師可能經歷過這樣的日子，畢竟眼前就是即將來臨的國家考試，聖誕節算什麼！為了通過國家考試，每天抱著書猛唸，就是法律人的日常，往往等到榜上有名的那天，才會有稍稍鬆懈的可能。

雖然現在的律師率取率，相較於以往全國個位數的窄門而言，提高了不少，但考生的壓力在考科倍增的情況下，並沒有因此減輕太多！而身為法律圈中生代的趙律，歷經了新、舊制的國家考試，現在回想起那段時光還是感到萬分痛苦，畢竟那是任誰都不想再輕易經歷一次的。

「我第一次考試還是舊制，第一年就是當砲灰，畢竟大學沒有很認真地念書，而等到新制的第一年的時候，我就是

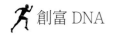

落榜頭,這樣的狀況就持續好幾年,這當中當然非常沮喪,我們就會說這是要再 +365,明年再來一次的意思。」

法律人戲稱的 +365,背後其實也是滿滿的辛酸,許多人獨行在這考試中的崎嶇天堂路,肩負著的不僅是對自己的期待,更多的是旁人的不諒解或是冷言酸語,相信這種辛苦只有考過國家考試的人才能體會。

心中的熱情燃起法律的服務夢

因此在成功當上律師之前,趙律也是歷經了很長一段的努力過程,這當中便要從兩則故事開始談起,一則是在大學期間,對體制的失望;二則是出社會後,發現法律的實用性,進而萌生了想要透過法律服務大眾的心念。

民國 93 年,趙律唸大學的時期,因為學校有法律服務的課程,於是就有了到法院見習的機會,當時正值刑事訴訟法的修正期間,我國剛從英美法引進認罪協商制度,「那時候我們去看的時候,法官就直接和檢察官說:『欸學弟,下一庭你就直接叫他認罪了。』」

「當下對我的衝擊超級大!便下定決心不想走法律這條

路，看到這樣的情況就覺得這不是我要的東西。」在當時對訴訟法了解還不夠深入的情況下，就被眼前的現實所震撼教育，於是這樣的景象意外地澆熄了一位法律學子的滿腔熱血。

「畢業後，我就從事兩三個與法律無關的行業，之後有一次，因為我朋友的爸爸發生法律糾紛，他們就來問我意見，只是無奈我大學沒有好好念書，加上又脫離法律很久，沒有真正幫到很多，但就因為那個案子，我覺得這樣幫助人的過程其實蠻快樂的。」

後來在這樣的轉折後，趙律開始重拾書本，目標就是想透過自己的專業去幫助人，讓大家不要覺得法律是很高傲或是冷漠的。「我們都會盡量解決客戶問的問題，我是個很親切的人，當然問完問題還是會寄帳單給你啦（笑）」趙律打趣地說。

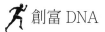

昱果法律會計聯合事務所

- 臉書：https://reurl.cc/M723dX
- 電話：02-7742-1258
- E-mail：hugolf168@gmail.com

／採訪後記／

謝·晨·彥·博·士

　　原本以為走進昱果法律會計聯合事務所，會看到排滿整面牆的法律書籍，不過，事務所內卻布置得沒有半點壓迫感。大片落地窗的天然採光，反而令人感到心情舒適，或許是希望讓前來諮詢的當事人，沉重的心情可以獲得些許的舒緩。

　　見到所長趙耀民律師後，我算是半開玩笑地詢問「大家平常上班日在辦公室會穿律師袍嗎？」沒想到趙律師風趣的回答我「那袍子那麼醜，沒人喜歡穿啦。」如果身邊沒有法律相關的親友在，其實在一般人的刻板印象中，律師是一個相當嚴肅的行業。但其實，律師們在放下工作後也是相當和藹可親喔！

　　在這次訪談趙律師的過程中，我們發現律師這個行業真的要有滿滿幫助他人的熱情，才能支持他們在枯燥的法條中，維持著前進的動力。這也是趙律師為何會進入這個行業的初衷，因為律師就是運用自己的專業，協助當事人解決在法律上面臨的難題。

因為想看到客戶滿意的笑容

《專訪－禾邑空間設計 總監張財偉》

從 102 年成立至今，禾邑已在室內設計走過 10 餘年，採訪之前，我們了解到禾邑的網路行銷做得並不多，但每件作品都令人眼前為之一亮，可以感受到團隊對客戶的用心、與設計監工的專業程度，而這也更讓人好奇，在如此注重社群經營的趨勢中，禾邑是怎麼沒有靠行銷而做到業績穩定成長？

在踏入禾邑設計後，明亮、穩重、專業，是第一次見面的初印象，簡單中卻不失平凡的優雅，彷彿就回應了我們的

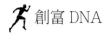

疑問，因此便迫不及待地向設計總監－張財偉展開訪談，聊聊他的個人故事與公司的經營理念。

因為想看到客戶滿意的笑容

對於張總監而言，室內設計是他在轉個彎後才發現的新領域，出社會最初從行銷業務開始做起，做過花旗銀行的推銷、磁磚貿易，後來才轉到室內設計，從業務到設計領域這樣大幅度的轉換，也讓他開始體認到其實自己內心最想要的，無非就是透過努力而換來客戶滿意的笑容。

「因為當時有經歷了一段空窗期，朋友家剛好是在做磁磚貿易的，就有機會接觸到建設公司，裡面有一些裝潢的部分，那時我就開始會用磁磚幫客戶點綴家裡。」張總監也笑著說，可能本身個性比較天馬行空，喜歡將客人的房子，改造成和原來很不一樣又很漂亮的樣子！正因如此，也越加彰顯個人價值及成就感。

後來就告別磁磚領域，轉去室內設計公司上班，從最基礎的設計助理開始學習，逐漸克服跨領域所帶來的陣痛期，而當時，過往業務的人脈、經歷，都成為室內設計裏珍貴的養分！其實對於當今的設計師而言，自我行銷、業務推廣、

接觸人群的能力都十分重要，張總監就剛好掌握了這些有別於本科系的軟性優勢。

堅持口碑、不貿然行銷

　　而在設計公司經歷多年的磨練後，張總監決定自己出來闖一闖，最初從社區型態的工作室，開始一個人接起案子，並在一年後請了設計助理一同努力，但創業的初期，許多無償設計、工程惡意比價等現況，更是一度澆熄了他內心初燃起的熱情。

　　後來便決心再度一試，開始移轉店面位址、重建公司制度、誓言毀棄免設計費的制度，因而現在的定價十分公開透明，一坪就是 NT$5,000 元起，也是透過如此，重新詮釋公司的定位，朝向更專業化、精緻化的客群邁進，以強化公司的營運體質。

　　但價格築起的高牆並非那麼容易跨越，張總監也坦言，一開始也是經由自己的朋友，慢慢地跟有需求的人洽談，向他們訴說自己的理念，才一步一步穩紮穩打所建立起來，也因此更加深了往後必須服務好每位客戶的心念，畢竟對他而言，客戶就如同事業上的貴人，讓禾邑得以繼續在設計領域

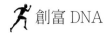
創富 DNA

中佔有一席之地。

實踐設計理想的禾邑

目前禾邑是由小而精緻的團隊組成，由設計總監張財偉，帶領具有理想與熱情的年輕人一起努力，「我們不賣弄廣告台詞！因為相信客戶需要的核心價值，是我們的『專業』與『經驗』！」是他們給客戶最堅實的承諾。

張總監說，禾邑堅守與客戶間的承諾，不會因為短時間就出賣品質，會以最專注的態度對待眼前的案件，將客戶的房子視如己出，在各個環節絕不鬆懈，因此不斷地增進技術專業、施工品質、與客戶間的溝通，是他的自我要求。

「我們重質不重量，同時進行的案量不超過5個，就是想要在能力範圍內呈現出最好的，團隊中每個成員各司其職、互相協助，設計理念與方向也是在工作中不斷地磨合與良性溝通，讓團隊越來越密合融洽！」

用心只為完成客人的交付

禾邑空間設計最具代表性的案例，可說是飛機餐廳與醫

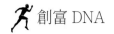

院的尊爵門診中心，但是其實每個案子都是客戶真誠的交付，也是禾邑努力完成的目標，而會特別說這兩個案子，張總監說是過程中的波折真的令他印象太深刻。

飛機餐廳的案件，因為原先業主是做報廢飛機的，於是就有了如此特殊的機緣，希望能在飛機外觀彩繪，之後再將它轉成一間觀光餐廳，但後來礙於地目因素沒有成功營業，但現在反而成為了社群的熱門打卡景點！

「開始施工後，因為飛機機身都是鐵製，那麼白天在大太陽底下，機身就會變得非常灼熱，造成我們根本無法彩繪，只能改由夜間來進行，所以當時接這個案子，變成白天要看住宅的進度；晚上則是要去飛機現場看進度。」張總監回憶起這個案件的施工過程，更是湧上滿滿的回憶，他說當時真的是超爆肝！但完成後的成就感也是超大！

另外醫院的案子，張總監說，因為工程很浩大、溝通要歷經許多層級的彙報、甚至會面臨到病人客訴的問題，當時團隊真的花費了不少心力，「醫院的案子是一個地下一樓的空間，施工期間敲敲打打，時常被醫院來來往往的人客訴，要求停工，導致我們工時不斷被壓縮，這真的很挫折阿！」所幸後來如期完工，也算是完成一個里程碑。

回饋力帶來的正向成長

非室內設計本科的張總監，這樣的背景也形塑出現今公司多元化的組成，因為對他來說，本科系與否並不是絕對的重點，而是更看重人格特質的可塑性，尤其設計領域十分強調想像力，室內設計更是要有良好的空間感、與長時工作的抗壓性，因此在挑選人才方面，吸收力強、無太多先入成見的人，才是禾邑最理想的人才。

因為當初也是白手起家，禾邑目前也十分願意透過培訓，讓對設計領域有熱情的年輕人，都可以在此發揮才能「希望建立一個完整的培訓課程，把我知道的東西，傳授給團隊中的每一個成員，讓各位的能力發揮到最好。」

而在整個訪問過程中，張總監更是一直強調著：「凝聚力、目標一定要一致！」的經營理念，我們也可以從當中看到回饋於社會的精神，有能力後更不忘提攜新進的後輩，並完全不以此為苦，這也反而在公司裡形成一股正向的成長力量。

179

禾邑設計

- 官網：http://www.hoyi-design.com.tw/
- 臉書：https://www.facebook.com/HOYI.DESIGN/
- 電話：03-4623212
- E-mail：bevis@hoyi-design.com.tw

/採訪
後記/
謝·晨·彥·博·士

　　過去曾有位長輩說過「有時候繞點遠路，也不見得是壞事，只要你認真的去做每一件事，那麼你所經歷過的這一切就不會白費工夫。因為，未來這些經驗必會有派上用場的時候。」而在我自己事業上經歷過這麼多起伏過後，回過頭來看，過去的經歷確實使我比別人更快速成長茁壯，也成就了現在的我。

　　這次採訪問禾邑空間設計總監張財偉後，又讓我再一次地回想起前面那段話，雖然張總監然並非設計科班出身，但是他結合過去在業務與建材領域的工作經驗，以及累積的廣大人脈與通路，成為他日後在空間設計開發業務時一項強大的優勢。

　　而過往的人脈願意回應並支持張總監在空間設計的新事業，必然是因為他過去的工作態度以及受人肯定的表現，才能獲得這樣的支持。「認真做好當下的事情」便是我們在張總監身上看到最耀眼的特質。

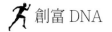

凡殺不死我的那些，必使我更強大！

《專訪－歐洲投資銀行 總裁澤非》

　　若提起業務性質的工作，龐大的業績壓力、不穩定的薪資水平、種種人情經營的考驗等等印象，往往就會是求職者較畏懼的選項，也更讓追求穩定的人聞之退步！然而，若要說業務是公司運作的要角也不為過，畢竟業務推廣是市場生存的必須元素、也是企業成長的基礎，它能連接起產業裡的各個節點，維繫公司生存的所需。

　　而今日十分幸運地，有珍貴的機會能採訪到任職於歐洲投資銀行的澤非總裁，行程滿檔的他，業務範圍現今已廣遍世界各大洲，長途飛行早就是生活中不可分割的一部分，於是我們緊抓行程的空檔，向總裁取經開創業務的種種秘訣。

　　訪問的開端，澤非從自己剛畢業，出社會的第一份工作

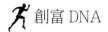

開始談起，從澳洲留學歸國的他，放棄了待遇優渥的選項，反而選擇了一份不走尋常路徑的工作，但同時更造就了他現在的事業基礎！「你在這個領域想看到怎樣的將來？有沒有想過5、10年後，這個領域還可以做嗎？會不會被其他東西取代？」十幾年前，澤非就選擇將這個問題拋向自己。

對於職涯的規劃他看得比誰都透徹，因為不想追求一個只能被工作所侷限的未來，於是在洞見產業發展的先機後，決定跳脫固定的薪資框架，以保險員為起點，從零開創自己的業務團隊與市場。

「保險在當時大陸還算是剛起步的產業，當初也是莽莽撞撞進來，因為看到了這個領域的發展性，我覺得財務策畫、理財、基金等等方面，蠻吸引人的。」他認為在新興的保險產業，未來大有可期，於是決心一試。

但身邊的人見狀其實都是反對的聲浪居多，而面對這樣的不信任，澤非知道唯有仰賴自己，才能無畏地前進，他認為，選擇應該是一種自我負責與承擔的過程，必須相信內心的聲音，才能用行動去回應周圍人的質疑，「自己還是最了解自己最想要什麼，家人會給你反對或是支持，但只有你知道自己喜歡什麼！」

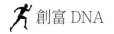

跟隨名師的魔鬼訓練

　　而第一份工作所帶給他的，是日後想起來也覺得受用終生的訓練，當初帶領他的師父，是當時在亞洲地區保險業的冠軍，這個榮耀更是從當時就持續到現在都不曾遞減，一直保有第一的領先地位，現在的澤非也坦言，真的非常感恩師父當初給他的學習機會。

　　「那時每天最多就是睡 4 個小時！早上 6 點起床和師父報告今天的預定進度，想好一整天要怎樣把產品推銷出去、7 點接著和師父面對面吃早餐，延續剛才電話中的討論進度、9 點進去公司開會、11 點開始見客戶、下午緊接著回公司開發新的客群、而晚上 7 點因為是大家下班的時間，我們就要抓緊時間再約幾組客戶！」

　　但你以為這樣就完了嗎？「到了晚上 11 點，要再向師父從頭說一次，自己今天到底做了什麼，有哪裡好、哪裡不好，那要怎麼改進？或是怎樣可以更好？」一整天下來，毫無休息的片刻，可以說是個魔鬼訓練，挑戰身、心、靈的極限，回想起當初的過程，澤非說那時的自己整整瘦了 15 公斤之多，其實師父會這樣訓練澤非，有部分原因是出自於嚴師的愛與期待，因為當初師父十分看好他的能力！

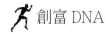

　　只是那時壓力真的很大，常常瀕臨崩潰邊緣，直到他真的躲無可躲、避無可避時，更曾向師父這麼說：「其實你真的不用這麼欣賞我！我可以好好休息一下，你也可以花更多時間在自己的身上，可以和你家人吃早餐，不用這樣關注我！」但是師父依然用最嚴格的標準檢視澤非，畢竟好永遠都可以再更好，更好也還存在著所謂超越的可能，依然不放鬆對澤非的要求。

　　現在的他認為，那時的辛苦已經漸漸成為職涯上的養分，心理和生理的忍挫力已經有高度的提升，而若是現在要去面對人生的低潮，已經可以更淡然處之，畢竟如果不是當時那麼拼命的自己，或許也就無法品嘗到極限所附隨的豐碩成果。

凡殺不死我的，必使我更強大！

　　從上面的過程，可以知道保險業務員的訓練，其實是不斷地經歷破壞、重建、再掏空的過程，每個步驟都環環相扣著「你怎樣去找客人？找到後要再怎樣去推給他？如果有得到對方的信任，後來對方也才會介紹朋友給你，就是要這樣子慢慢地，每一樣東西都要很有計畫！」

　　除此之外，因為澤非身處於全香港最頂尖的業務團隊、加上自己備受師父的關照，團隊間的人際考驗更是無可避免，因此人情壓力比起業績壓力有時是更加難熬的折磨。

　　「在團體裡很難交到朋友，像是整理文件時，遠遠就會聽到同事在議論自己，其實這樣的聲音到現在都還沒停過！但說實在的，現在很多人只是看到成功人士的表面，沒有人去想過，這樣創業的過程中有多辛苦？每天要承受身體的壓力，身體素質、精神層面、業績壓力、夥伴間的人際等等，很多都大到難以想像。」

　　然而他把所謂的壓力都留給自己，當成養分全部吞下去！「想想當初為甚麼要做這樣的事情？如果自己做的事情是對的就堅持，不要去做害人的事情就好，其實我們的心理素質真的要很高，畢竟保險業不能將不好的情緒留給客戶。」

但是我過得快樂嗎？

　　在經歷 6 個月的魔鬼訓練之後，澤非已經能夠獨當一面，收入成長幅度驚人、且事業進展飛速，但是回過頭來，他發現除了戶頭裡穩定成長的數字之外，自己彷彿什麼都不剩，變得不是很快樂，過去的汲汲營營換來的是失去生活、與自

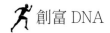

我的代價，於是便想離開原本的保險業，將職涯轉向投入全新的投資銀行領域。

　　「那從這段經歷，其實可以在這當中學到很多，像是以前的事情怎樣影響到我現在的人？ 應該怎樣去策畫我的人生？或是在低潮的時候應該如何面對、在高點的時候，應該提醒自己要有謙虛的心接納意見等等。」雖然已經揮別過去的保險業務員生活，但走過那段日子，更是深刻地體認到自己所獲得的成長。

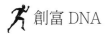

澤非

· 網址：https://pse.is/PDLHG

/採訪
後記/

謝·晨·彥·博·士

「天將降大任於斯人也，必先苦其心志，勞其筋骨，…」採訪完澤非的當下，我腦中便很自然地冒出孟子的這段話，用來形容澤非的事業歷程真的是太恰當了！不論是早年在保險業務所經歷的磨練，還是進入歐洲的投資銀行的歷練。每一段歷程，澤非都是付出了超乎常人的努力，最後苦盡甘來．。

我們在他身上看到，要攀上顛峰的過程，所需要付出的努力與代價，絕對不是三言兩語可以道盡。這麼的努力付出，就是希望能夠在目標實現之時，收穫那名為「成就」的甜美果實，以及伴隨而來的豐碩報酬。

名為「創業」的這條冒險之路其實相當艱辛，走得下去，成為碩果僅存的一位，便是收成之時。沒能走下去，也不必太過灰心，因為在這段冒險的路途中，你所獲得的其實會比自己所想、所見要多很多。

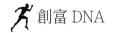

期望將信任帶回金融業

《專訪－社大名師 教練雷揚》

　　股海茫茫，你知道投資與投機之間的區別嗎？想要學習股市，你會從哪裡開始著手？是自己從閱讀書籍、學習線圖、分析股價等等方法從頭開始，抑或是希望能有個好的老師帶領你呢？

　　雷揚老師具有多年金融背景、與豐富的股市實務經驗，將帶給投資初學者、抑或是已經有經驗的人，一個結合理論與實務的最佳指引之道！「畢竟要學高爾夫，你會找老虎伍茲，還是找老虎伍茲的教練？」

　　在樹林社區大學、士林社區大學擔任講師，教學經驗豐富，最了解學生的問題，而除了線下的教學之外，雷揚老師

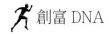

經營線上課程、撰寫股市分析與教學文章。「為什麼只在樹林社大、士林社大開課，可能我本身姓林吧，所以和林特別有關係，說不定以後林口也有可能開課喔！」請各位敬請期待。

自從分手後就和股市在一起了

而會踏入股市，說起來是因為在人生的最低潮時，為了轉移注意力便到早期的金石堂，看了幾本架上熱銷的投資書籍，因而拯救了一位失落的灰暗青年，當時買的兩本書分別是：前東海大學企研所所長黃培源所著的《理財聖經》、另外就是股神巴菲特所著的《勝券在握》。

當時《理財聖經》裡頭「隨時買、隨便買、不要賣。」這九字更是就深深記在腦海裡頭，從此開啟了人生的新領域，雷揚老師說：「看完後就忘掉傷心難過的事情，發現原來股票這麼誘人！」至此踏入股票交易市場，為了親身體驗且近距離感受於是決定走入金融業。

期望將信任帶回金融業

話鋒一轉，雷揚老師旋即帶到，因為過去在金融業多年

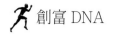

以來的經驗，他認為誠信始終是最重要的，只是大環境的改變卻漸漸讓金融從業人員毀棄原本應堅守的原則，而讓民眾對金融機構失去信心。「金融市場的基礎其實在於信任，但因為大部分的金融從業人員只是受雇者，而公司會給下面壓力，那為了達到業績，大家只能去改變自己的想法，扭曲自己的思維，合理化自己的行為，以達到高層貪婪且野蠻的要求，所以最後面整個都亂了。」

因而，雷揚教練萌發想透過自己的專業，為金融市場做點不一樣的改變，如果能將正確的知識、心態，分享給對投資有興趣的大眾的話，那將是多麼有意義的一件事情。「其實，只要用正確的心態來學習的話，把時間拉長遠來看，賺錢是再自然不過的事情。」

長遠學習、縱橫股海

其實，雷揚老師也坦承，自己當初，剛踏進投資領域時，也是懷著遠大的夢想，前面十年更是走了很多冤枉的道路，而且就算是想要學習也不知道要去哪裡，甚至還遇過很多豪取的老師，「為了要幫投資大眾找到正確的方向，因此現在有人願意學習，我就願意教導！」

192

「阻止你前進的不是你不知道的事，而是你知道但其實不然！」如果用十年以上的時間來看，通常十個有八個都是賠錢的！最大的原因就是幾乎所有的輸家對股市都有錯誤的認知。如果方向是錯的那應該在開始之前就結束，否則再多的努力也是枉然。想要成為贏家必須先找對人、再加上正確的學習態度與思維邏輯，這樣才能在投資之路不斷地邁進。

「做自己最快樂、做自己最容易成功！在投資的領域，帶領你找到自己，做自己！」這是雷揚的教學宗旨，「持續賺、不間斷！」這是學員的學習目標！唯有當老師與學員的方向是相同的時候 才能創造出雙贏的結果。

不只給你魚還送你魚竿

「而學生來自各行各業，往往程度不齊，也常常沒有衡量自己的能力胡亂操作，更有人是來踢館的，會來咆嘯課堂。其實金融市場是很浩瀚的，也就是學不完，那我個人是很誠實的，我知道就說知道，不知道就說不知道！」說到教學中的難點，雷揚老師也是無奈地這樣說。

像是曾有學生在上課時問他，老師你怎麼看美中貿易戰？「我就很老實地和學生說，我們又不是美國人、或是中

國人、也不是政治及經濟專家,而且我們賺錢的方法,不是靠神準的預測中美貿易結果(過去一年不是一直反反覆覆捉摸不定?),如果你想知道新聞說的那些東西,我可以用 20 分鐘說給你聽,但是我保證當我做了精闢的、分析獨到的見解以後你還是沒有辦法果斷做出決定,其實我要強調的是,你不知道或是不了解的方法,你就不要運用!」

另外像是:「老師這支股票要不要買?」、「感覺狀況還不錯,那現在可不可以加碼?」、「我都賺了可以賣嗎?」也是學生常問的問題,但雷揚老師認為其實這不是好的提問方式,真正的切入點是結合所學後的提問,在吸收課堂上的知識後,如果有遇到操作上的問題,此時再行提問,往往是最好的方式。

此外,為了讓不同程度的學員,都能有相應的學習課程,雷揚老師也精心規劃了不同程度的課程,讓初學者也不用害怕,跟著雷揚老師,就能慢慢地建立起自己的投資方法。

「我們課程的規劃,就是從最基礎的開始,畢竟有時候我們上課如果有提到一些問題,比較初學的人,沒遇到的話也不知道啊,所以比較好的方式,應該是做好區分,這樣才是對的!」

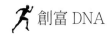

而其實，很多同學的回饋，也是雷揚老師成就感的很重要來源，「現在會得到同學的尊重，因為我們給他對的東西，所以我們持續做對的東西，就會得到好的結果，就是從學生的回饋裡面獲得自己的成就感。」而現在雷揚老師，也正積極尋找找志同道合的夥伴，一起擴張教學的質與量，以達到教學相長的目標。

相信後才會遇見成功

在金融領域的人，其實也就像是創業者，畢竟股票就是無實體的存在，彷彿進到虛幻的時空一般，「成功的人都是要先相信才能看到，一般的人都是先看到才能相信，所以要先打開自己的心胸及思維，相信這件事情會成功，然後你就會看得到。」

最後雷揚老師也有幾句鼓勵的話要給大家：「人生最大的成就，就是可以從失敗中再度站起來，然後邁向成功，而且如果你是金融業的話，其實你每天都在面對失敗，每天喔真的是每天！」其實創業的困難就是一直來的，要常常不斷地去鼓勵自己，藉由每一次的失敗真心誠意的檢討，不斷改進，敗而不倒終究會邁向成功。

雷揚教練

· 臉書：https://pse.is/QDMPQ

／採訪後記／

謝·晨·彥·博·士

「不要追求獲利要追求紀律，追求紀律獲利自然會追著你跑。」這是在社大執教多年的投資講師雷揚教練送給學生們的話。其實這幾年，金融培訓的講師如雨後春筍不斷地冒出來，在行銷的包裝下每個人看來都大有來頭，或許背後也都有賺人熱淚的故事，但卻漸漸看不到老師們扎實授課的氛圍。

不過雷揚教練仍堅持不過度包裝，認真且扎實地授課，只教對學員們有用的內容。也因為對學員們真誠地付出，學員們也對雷揚教練抱著高度信任。其實對於同樣從事金融培訓的老師們，應該都有同樣的感受，在這行最大的成就，並不在於一班招了多少學員，或是課程價格開到多高，這些其實都只是過程。真正的成就在於傳授的內容，學員若能在課堂上吸收後並在市場上賺到錢，然後急著想與老師分享賺錢的喜悅，並說一聲「謝謝」，這才是為師者們感動的原因。雷揚教練，正是一位實在教學，而從學員們獲得許多感謝的金融培訓講師。

別創造害怕，而逃避嘗試

《專訪－北門窩泊旅 營運總監Janet》

　　位於台北市大同區，距離捷運中山站步行 5 分鐘，走過台北車站後站出口後，再轉進太原路的小巷子裏頭，就能看到北門窩泊旅（Beimen WOW Poshtel），復古的老屋結合青年旅館的設計，懷舊中帶著創新的溫度，近年來也成功吸引到很多來自國外的自助旅人，到此體驗台灣的復古風情。

　　今日我們採訪到，北門窩泊旅的營運總監 Janet，向我們聊聊她的故事、與北門窩創建的過程，看 Janet 是如何一個人踏上約旦的土地、又是如何將北門窩管理地有條不紊。

挫折與重生的約旦之行

　　說起自己過去的經驗，她溫柔地笑著說，因為從小母親

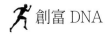

對她的管教就十分地嚴格，也讓她有著高標準的自我要求，必須把任何事情都做到最好！甚至從高中開始就很認真思考起自己的未來，而喜歡語言的她，當時便決定要唸政大阿拉伯語。

「大學是除了學習知識外，也算是一個出社會前的銜接，我反而在大學之後變得更認真。」Janet 當時就和當時的男友，也就是現在的老公，每天去圖書館念書，直到最後以系上第一名畢業。

大學期間也曾至約旦交換，遇到直接、敢於表達的中國學生，更讓她印象非常深刻。「一開始上課的時候，老師會請各位同學分享一下，自己是來自哪個國家？國家的體制是專制、還是民主呢？當時我就說我從台灣來，我們國家是民主國家，接著中國學生就開始拍桌，說台灣是他們的一部份！但我當時語言能力也沒有到那麼好，一時之間也不知道該如何反駁，學校也沒有教我們這些要怎麼說啊。」

在約旦的期間，接連出現了語言溝通上的難題、國際學生間相處的磨合期，因而一個人在他鄉的無助，讓 Janet 開始更認真地檢視自己，後來便利用放假期間，與同學到土耳其、埃及散心，開學後順利降轉到其他班級，這才真正享受

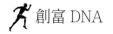

著在約旦學習的日子，而在回來政大之後，甚至也繼續選修土耳其語。

初份工作的自我探尋

其實剛畢業的時候，還算是一段對自我的摸索期，「一開始先在學校的單位當半年的計畫助理，後來想要有更多的社會經驗，因而當了國外業務秘書，算是踏入社會的第一份工作。」對 Janet 來說，因為喜歡接觸人群，所以很喜歡業務的工作。

「當時的公司，是在做雷射產品，像是工業用雷射的模組，商用產品簡報筆、簡報器、軍用瞄準器都有，我是負責美國子公司的台灣窗口，是我們美國業務跟總經理的秘書，一開始先從助理開始，之後再做到國外的業務代表。」

而中間，公司剛好有一個可以到阿布達比軍用展的參展機會，憑藉著過去出國交換的經驗，也讓 Janet 順利爭取到這次機會，「其實就是你學生時期出國看事情的角度，跟你在工作時候看的角度完全不一樣，那次的經驗，也給了我很大的衝擊。」現在想起來 Janet 還是很感謝當初有這樣的經驗，讓她對中東的很多方面都有更深刻的體會。

　　「因為是軍用展嘛，你一進到停車場，發現裡面停的都是直升機、戰鬥機，然後攤位對面就是坦克車，你會覺得這世界真的很大！其實軍用也是一個龐大的產業，當時我就開始想著要不要在這個領域繼續發展？」但在大學出國之前，中東爆發阿拉伯之春，眼見從突尼西亞、埃及到敘利亞都在革命，於是這個疑問便停留在 Janet 心裡很久，遲遲都下不了決定。

　　「當你真的有一些機會去近距離接觸那樣的環境時，你會發現其實戰爭真的很可怕！再加上美國出兵伊拉克、阿富汗，到現在留下的後果，我覺得城市要復原都很難。」

　　雖然剛開始認為軍用是個蠻有發展性的產業，但在面對戰爭的殘酷面後， Janet 當初想要在異國多方體會的心情也逐漸被淡化，取而代之的是，她開始思考起了另外的職涯選項。

喜愛人群而踏入青旅產業

　　其實在念了阿拉伯文後，便開啟了 Janet 和中東的不解之緣，但在真正思考起自己的職涯發展後，發現自己還是不太適合軍用產品產業，因而回到台灣後，便開始尋找轉換跑

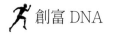

道的可能性。很巧的是，當時幸運地接觸了青年旅館的領域，而這也十分符合她喜歡接觸人群的個性。

「因為先生的關係才認識現在的老闆，當時先生是老闆的設計助理，我之前常常在休假時去找我先生，因此認識了老闆。當時台灣的青年旅館正在興起，所以便決定投入這個產業試試，先在花蓮的青年旅館當業務，半年之後回到台北負責公司品牌下其他館店的業務。」

「我一直很想累積不同的工作經驗，因為我很喜歡做業務，可以跟人互動、可以幫人解決問題！我那時候也覺得如果你是一個好的業務的話，基本上不管在什麼領域都可以是很好的業務，差別只是在於你賣的產品不一樣而已。」 而 Janet 也說，其實從雷射業務到青旅管理，面臨這兩個差距懸殊的產業，她都是從零開始學習。

耐心靜待自己的時區

然而，這中間也經歷了那種勞累到不能自己的時刻，她選擇不在任何人面示弱，只是這樣的情緒，卻在一個人回家之後，全部爆發出來，「我通常都是走回家路上啊、或者是回家洗澡放鬆時會突然自己哭出來，怎麼那麼累啊！你會好

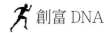

想休息一下，但是你哭完隔天早上就好了。」

　　現在的她，則是開始會選擇對自己好一點，如果真的做不出來的話，會先給自己一點時間，靜下來好好思考，「要對自己有耐心！」Janet 如此說到。

　　另外，目前 Janet 也回政大繼續攻讀研究所，對她而言，研究所其實是工作之外的另外一種轉換模式、但同時也可以互相結合的助力！其實北門窩因應著政府的新南向政策，已經有越來越多的東南亞穆斯林女性來台旅遊，而這樣的現況更是引發了 Janet 探討穆斯林女性移動力的契機。

　　「我們在設計北門窩的時候，當時便和我老闆討論，想要把穆斯林友善設備規劃到青年旅館裡面，讓他們有自己的空間，房間標示了禮拜的方向，衛浴馬桶旁都有安裝淨身設備等等。」這樣的小巧思，也讓北門窩成為更友善的空間，讓世界各地的人來到這裡都能有非常舒心的體驗。

北門窩泊旅

· 官網：http://www.wowposhtel.com/tw/index
· 臉書：https://www.facebook.com/wowposhtel
· 電話：02-2552-5068
· E-mail：beimenwow@gmail.com

╱採訪後記╱

謝・晨・彥・博・士

　　北門窩泊旅營運總監 Janet，她從小就被父母要求任何事情都要朝著追求完美為目標來努力，也因為在這樣的養成環境，令她養成對自我高度要求的態度。正是因為對自我的督促，年紀輕輕的她，便獲得股東們的青睞，讓她接手管理一間青年旅館。

　　每個人的大學時期都有自己多彩多姿的生活，有人參加系學會、有些人專注在社團，當然也有人已經開始認真規劃自己的將來。獨立性強的 Janet 正是在這段黃金時期，開始思考自己未來的出路。喜歡與人交流、熱愛異國文化的研究，驅動她走向國外。

　　外文系畢業的 Janet，無論是過去的外商業務，還是現在的旅館管理，都非她本科專業。但認真學習的她，無論在哪一個職務上，她的表現都獲得周遭的讚揚。我們也以此勉勵還在猶豫的讀者們，只要願意開始並認真學習，沒有什麼是能夠阻擋你的。

離舒適圈多遠，離成功就有多近

《專訪－高鉅科技 總經理陳柏江》

　　近年來，電商的蓬勃興起，讓電子支付的管道也應運而生，Line Pay、Apple Pay、街口支付、Pi 電子錢包等，即是台灣常見的支付管道，然而面對如此多樣化的支付平台、越趨龐雜的管理系統，如何準確地管理帳戶、甚至面對轉換支付管道會出現的程序等等，往往更是令電商的經營業者傷透腦筋。

　　因此，利用技術提供金流整合、加強管理系統等功能的服務，就是電商營運中很重要的角色，也就是第四方支付存在的必要，能讓店家一站式地完成對帳，減去營運管理中多餘的時間成本與麻煩。

　　今天，我們採訪到台灣第一家第四方支付業者，

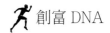

MYPAY 高鉅科技的陳柏江總經理，向各位讀者們分享他在第四方支付的創業歷程，與未來台灣的市場潛力。

因興趣引領而投入金流產業

陳總經理曾經擔任過長榮航空的地勤，但因工作性質重複性較高的緣故，讓喜歡挑戰的他，開始參與政府的青輔會舉辦的在職進修課程，也就是在這個時候，認識了藍新科技的創辦人，在兩年後毅然決然地轉換領域，之後便進入藍新科技從事金流業務，於是從那時開始，便打下了陳總經理在金流業的基礎與人脈網。

「當時是 2000 年，在藍新科技我算是一開始的創始員工，公司剛開始就只有一個業務，就是我啊！所以公司很多第一次的經驗都是我完成的！剛好就是那個時間點上啦（笑）。」回想起剛進入藍新的時光，真的是全心投入工作，做了非常多嘗試，也因此讓公司的業務在剛起步時就有了穩健的基礎。

「其實我不是資訊本科，我是念外文畢業，所以在那段過程中，學習到資訊領域中程式開發、和系統的部分，主要也是自己有興趣，所以就透過工作很快地吸收，因而當初的

那段時光，對於現在自己在經營公司來講，是很重要的。」

「另外，印象很深的是，當時也常常和我們的產品經理，為了一些事情爭執，可是還是會很懷念當初的衝突！其實在那裏的學習算是最多的，很多東西都是從這裡開始的。」

經歷過那段時光，讓過去的陳總經理，從不喜歡當業務的人，變成理解業務工作的經營者，而且將業務視為公司營運的關鍵部分「業務其實是很高階的工作，因為一個公司要活下來的話，業務就是最關鍵的部分，畢竟技術再好，如果賣不出去的話那也是假的，必須要持續加強顧客對公司的印象，商品才能行銷出去。」

暫別台灣，放眼對岸商機

而在藍新科技之後，陳總經理也有過一段在大陸開拓市場的日子，但現在回想起來，那時的決策確實有點倉促，其實在當時因為大陸的影音、版權制度都還沒有很成熟，再加上網路系統的成本過高，導致後來的成績並沒有預期的好。

「當時的老闆其實有叫我不要去，但最主要還是想要去那裏看看，只是當時小孩還很小，等回來台灣之後，小孩跟

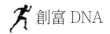

我說：『爸爸你以後可不可以不要出去那麼久！』，我才發現，原來工作和家庭各方面的平衡是很重要的。」於是陳總經理轉而回來台灣，繼續從事資訊產業的工作，也在幾年後，創立了現在的高鉅科技，專營台灣的第四方支付產業。

但談到創業，陳總經理說，其實很多人都有著創業的心念，但光有這樣的想法還不夠，必須要去思考產業的可行性、以及未來的發展方向，而當初，就是認為台灣的產業現況還大有可為，於是便想藉由多年累積下來的業界經驗，自己來試試看。

「當初就覺得商家從金流上所獲取的需求和功能，其實是沒有被滿足的，所以我在十年前就做了第四方支付，只是早期因為支付系統還不複雜，所以這樣的業務市場不大，價值明顯不高，當時較多的就是網路銀行轉帳、信用卡、超商代收這樣而已。」然而沒想到這樣的想法，從現在的角度而言，非常有遠見。

感恩團隊讓自己更學習包容

創業的一開始，就是一個人身兼最強業務、與最強老闆，將公司打理起來，也多虧了過往所累積的人脈經驗，讓初期

的運作順暢許多，「一開始是透過朋友介紹的工程師，用委外的方式，先將系統架設起來，所以沒有什麼團隊可言！那現在的版本，其實已經是第三代了，就是和現在這些同事一起重新建立起來的。」

陳總經理也坦言，這些建構的過程，如果沒有團隊的功勞，絕對是一個浩大的工程，因此很感謝各位同仁為公司付出的心力，往後如果有機會的話，也希望將最好的報酬回饋給公司的員工，對他來說，每位一起工作的同仁就像是夥伴一般，大家各自都扮演著不同的角色，彼此互補、彼此支持。

「而說到創業 11 年來最大的改變，就是願意認錯，一開始會比較不容易去理解，可是我現在更大的希望是，大家可以來告訴我有什麼想法可以調整系統？或是怎樣讓系統更好的方法？現在會更加願意傾聽夥伴間的意見。」

離舒適圈多遠，離成功就有多近

訪問的最後，陳經理說，當初是著仰賴宗教去面對龐大的壓力，學習著去沉澱自己的心，發現在靜下心後，看事情的角度往往也會變得更加通透，而在焦慮的情緒之外，找到撥雲見日的另外一道解方「其實真的要有一個放鬆壓力的方

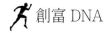

式；另外，不要害怕你做的事情不熟悉！不要害怕你自己為什麼不試著把它做好！我覺得你要先有勇氣去做，才會知道你可以。」

在中國的經驗，也讓陳總經理藉機鼓勵台灣的年輕人，不要僅將眼光侷限在台灣，其實世界真的比我們想像中還要大很多，「在北京我在看到很多很多人，他們可能都是從四面八方過來，或是為了工作離散到各個地區，幾千公里對他們來說不是太大的問題，但我們在台灣，你可能從台北到台中就覺得遠（笑）」

因此，如果能不斷地將自己拋出舒適圈，離開熟悉的環境，去擁抱未知、習慣不安、甚至樂於挑戰，這樣才會有更多發展的潛能，成功的背後需要的往往是廣大的心量與包容力。

高鉅科技

· 官網：https://www.mypay.com.tw/
· 臉書：https://www.facebook.com/mypay.tw/
· 電話：04-2258-8683
· E-mail：marketing@mypay.tw

謝·晨·彥·博·士

　　幾年前，羅伯特·T·清琦的《富爸爸，窮爸爸》上市後，改變了許多人對累積財富的思維，也在台灣掀起了創業的熱潮。其中當然也包含對「舒適圈(Comfort zone)」一詞的看法，其實，不只是羅伯特，許多勵志的書籍，都鼓勵人們離開自己的舒適圈。

　　但各位讀者千萬不要誤會，脫離舒適圈指的並不是你非得離鄉背井拋開現在所擁有的一切。因此，脫離舒適圈指的是「你是否願意接觸你未曾觸碰的領域、是否願意挑戰你毫無經驗的市場。」

　　沒有資訊背景的陳總，卻能說出一口好程式，就在於他願意學習、挑戰他陌生的領域。事實上，這樣的特質我們在許多創業者身上都看的到，他們總是願意打開自己的心胸接納新的事物，開放自己的思維學習更多他們未知、甚至是已知的領域，這便是一位成功創業者所應該抱持的態度。

目標成為訂書平台的大聯大

《專訪－輔宏 (iStuNet) 董事長徐偉翔
總經理曾冠皓》

　　成立於 2013 年的輔宏（iStuNet）股份有限公司，秉持著「服務」、「誠信」、「專業」的精神，致力成為服務大學生的專業平台，包含數位訂書系統、校園實體活動、幫助企業實現 CSR(企業社會責任)深入校園舉辦創業比賽、人才培育等等業務。今日我們訪問到了輔宏（iStuNet）的總經理曾冠皓（以下簡稱：Kevin）、與董事長徐偉翔，向我們分享他們的創業歷程。

投身教育回饋社會

　　Kevin 出身於教育背景的家庭，因為上頭的兩個姊姊都是念第一志願，自己學業卻沒有這麼傑出，而產生想要證明自己的決心，就算學業沒有辦法第一志願，一定也能做出很

不一樣的事情；同時，Kevin 也不曾忘過父親所強調的利他精神，因而希望能在教育領域創業以回饋社會。

　　在大學時期有過豐富的活動經驗，因為當過系學會長，所以了解每學期班代協助訂書的辛苦，總是有人沒有交錢、或是書的數量就是會誤差那麼幾本「想要幫助大家在訂書的時候能更方便，當初的想法就是這麼簡單！」Kevin 笑著說，於是想要藉由數位訂書系統改善這個問題，最初也是先從自己系上開始推廣，後來才慢慢拓展至其他系學會。

　　因為唸的是電機領域，在考到研究所後，開始從事研發工程師的工作，但後來發現工程師的穩定工作型態並不適合自己，於是創業的想法便在心中蠢蠢欲動，「當初的抉擇，就是我要當科技新貴、或是要走創業的路，因此我問自己，人生只有一次，我會不會想要創業？當時的答案是肯定的，於是就出來創業。」

　　但也是因為創業的事情，開始和家人有了爭執，由於台灣少子化的趨勢越來越明顯，家人對教育產業的前景存有擔憂，希望 Kevin 可以進入科技業選擇當一個穩定的工程師，這樣的爭執大約持續了整整半年，也多虧了當時夥伴的支持，才能讓公司持續成長，進而在後續漸漸得到家人的諒解

與肯定。

熱情驅動夥伴並肩同行

訪問途中，我們請問 Kevin 與徐偉翔，他們當初是怎樣遇到彼此？後來又是如何決定一起創業的呢？「這已經是 7、8 年前的事情了，還記得當時是在運動酒吧的餐廳，聽了 Kevin 的創業計畫，覺得這個系統不錯，能方便學生訂書的流程！而數位化也是個趨勢，就想一起加入！創業重要的除了有好的商業計畫，更重要的是創業者對於創業的執行力和熱情，第一次和 Kevin 見面就讓我非常明顯的感覺出他對創業的執行力和熱情。」徐偉翔說。

於是都是輔大畢業的 Kevin、徐偉翔、小麥，便結合其他夥伴一起創建了輔宏，Kevin 畢業於電機系，出社會的第一份工作就是在輔宏，對公司有絕對的熱情和執行力，是帶著公司前進的最大關鍵力量；而徐偉翔是 Kevin 的學長，專職於投資理財領域，負責訂定公司的大方向與經營方針。

用理念推廣數位訂書系統

輔宏的品牌，源自於想服務學生的信念，想讓學生有更

方便的訂購書籍平台，不用繁雜的人工訂購程序、和收錢過程，也不用和代理商交涉，然而在創業的初期，首先面對的是業務拓展的問題，在學生、代理商都還不熟悉輔宏的情況下，就是透過一步一腳印實地拜訪、穩定出貨供給和良好的服務方式，漸漸贏得雙方的信任。

「主要是跟系學會說我們的理念，要和他們有共鳴，因為學會有自己的理念，有共鳴才會一起合作，剛開始就是用理念的方式去說服，用當初自己是學會的經歷去分享、或是拉近距離，當時是一段辛苦的日子。」

Kevin 還說，因為訂書是個傳統產業，從下訂單、溝通問題、學生發書，這一連串的過程都是很繁瑣、更需要透過人去不斷地進行溝通，但如果能透過數位化去簡化流程，用系統開發來提升工作效率、降低人事成本，將會大大提升整體的效率，因而這樣的理念也開始讓很多書商、學校願意加入。

擴大業務的多元化轉型

而在穩定客戶端後，他們發現，輔宏雖然有了龐大的會員基礎，但卻不知道要怎麼轉型營利，後來決定舉辦當時很

流行的黑客松（hackathon）活動，以黑客（hack）結合馬拉松（marathon）的形式，讓學生在短時間內，以專案的形式，腦力激盪去模擬創業解決問題，沒想到這樣的活動從第一屆「IStuMate 創創黑客松」就得到了非常好的評價。

而這也讓輔宏的黑客松活動一直持續地舉辦下去，「第二年開始我們開始找企業合作贊助，這時候才發現其實現在有越來越多企業很重視 CSR（企業社會責任），其實輔宏對於學校體系除了有龐大的會員基數，又非常熟悉學校、學生體系，剛好可以補足一般公關公司對於媒體非常熟悉卻對於校園很陌生的缺口，所以現在有很多中大型企業委託我們做校園相關的活動，不論是人才培育或是創業比賽等，支持的力道都越來越強。」

因而 IStuMate 創創黑客松，除了讓大專院校的在校生，理解創業的風氣，也是出社會前認識企業的一扇窗口，於此 Kevin 也說，對於如何挑選企業，輔宏也是有自己的原則，因為他自己是工科人，所以對於學生喜愛的企業端也非常了解，期望讓企業、學生都能有所收穫，達到促進交流的主要目的。

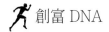
成為訂書平台大聯大

　　而關於輔宏未來的方向，董事長徐偉翔說，希望能將公司打造成為訂書平台的大聯大。大聯大是全球第一的 IC 通路商，服務上萬家客戶，掌控原廠料號更是不計其數，但卻可以精準管控庫存和客戶需求。更令人尊敬的是在企業如此成功的同時，大聯大在 CSR 上面更是不遺餘力地支持校園公益活動。希望未來公司也能做好平台通路商的角色、也善盡回饋社會的責任，甚至是跨國業務的拓展等等，此外他也認為，其實輔宏的角色就像是一個精細版的人力銀行。

　　「我們透過比賽讓企業了解，這個活動其實是一個人才的平台，我們選出一些優質的人才來，讓企業能提早篩選出他想要的人，然後邀請他們來贊助，其實現在政府也會有培育人才的計劃，重點就是結合資源，縮短產學落差。」

　　因而，輔宏將教育領域的優勢發揮到極限，將服務學生的業務，從在學的訂書服務，拓展至就業前的培訓，搭建起學生和企業接軌的橋樑，藉由各式各樣的比賽、活動，讓學與用之間的落差降到最低。

iStuNet 輔宏

· 官網：http://istunet.com/
· 電話：02-2718-8559
· E-mail：service@istunet.com

／採訪 後記／

謝·晨·彥·博·士

　　作為一間企業，擁有「利他」的服務精神是相當重要的，當這樣的企業多了，便能夠為整個社會的經濟帶來正向循環。iStuNet 輔宏創立之時，也是為了服務大學生，讓學生在訂書時有個更為便捷的平台。但在服務學生的同時，也同時為傳統書籍代理商解決了許多問題。讓 iStuNet 輔宏在學生與書商之間成了良好的溝通橋樑。

　　同樣是本著服務學生的初衷，iStuNet 輔宏籌辦了一系列的就業輔導活動、新創比賽，希望讓即將面臨就業的應屆生們，能與產業有更好的接軌。而在活動舉辦的過程中，學生除了對自己即將投入的產業，有了更深一層的認識之外，同時也讓企業有更精準的管道，可以尋找、培養自己需要的人才。又讓 iStuNet 輔宏成為學生與企業之間的媒合平台。

　　iStuNet 輔宏本著服務學生的初心，現在已發展成為大學與社會之間互動交流的雙向平台！

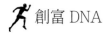

用熱情照亮生命的光

《專訪－美學生活藝術教室 創辦人賴美渝》

「給想學習畫畫的朋友們，相信每人的心中對繪畫藝術都有一份憧憬，老師很珍惜這樣的起心動念，希望藉由教學能引導大家體會繪畫的樂趣。」美學生活藝術教室的賴美渝老師，在臉書的網頁上如此寫道，希望藉由教學，將喜歡畫畫的心情傳遞給學生，讓他們熱愛畫畫、享受畫畫，將藝術也能變成生活中可親的部分。

對於從小就很喜歡畫畫的賴老師而言，畫畫是興趣也是專長，過去曾是文馨出版社的特約插畫家，繪製過文馨新觀念英漢辭典、文馨當代英漢辭典的插圖，另也擔任過出版社美術編輯，現則專職成人美術推廣，在北部的許多社大都有老師教學的蹤影。

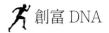

第一次接案的一千多張圖

然而，其實賴老師大學念的是生物系，但因為大二時有過至中研院的實習經驗，讓她提前就能了解到研究室的生活，只是研究室的實驗生活並不符合她對未來的想像，因而當其他同學正焦急地準備繼續升學時，賴老師則決定先緩一緩。

在大四時，因緣際會下有了幫出版社繪製插圖的機會，因為出版社社長看著賴老師從小就非常喜歡畫畫，於是就將這個機會給了她！然而，替字典畫圖並不是一件容易的事情，一本字典約莫千餘張的手稿圖，花了賴老師很大的心力才完成。

「因為當時的社長對出版很堅持，非常重視字典的知識性，當時畫圖不像現在有電腦的輔助，都必須要仰賴手繪，而英文字典裡面會有很多的單字或是例句，就都要全部畫出來！」

只是英文學習字典的複雜性，超越了常人能理解的範圍，這就考驗繪者的想像力，與對圖像的掌握度「所以像是牽老婆婆過馬路的例句、馬來貘之類的單字、還有比較用法，

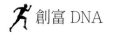

都要畫出來，因為當時網路還不發達，要去圖書館查很多資料！所以雖然我覺得很難，但就是一個磨練自己的經驗，就是說如果今天我想要表達一個事情的話，那我要怎樣把它畫出來？」

「第一次體會到有期限的壓力，那就漸漸開始自己抓出一個畫畫的訣竅，其實有時候也趕不及，就會熬夜畫（笑），也因為不是本科，沒有學過專業的畫畫，所以手的穩定度有時就不太夠，也會去找工具輔助。」這樣的過程，讓賴老師第一次嘗試到美術接案的過程，也發覺自己在美術方面的才華、與專業技能間需要補強的部分，對她而言，是起步的一個很重要的經驗。

穩紮穩打的繪畫硬功夫

學生時期的賴老師總是當學藝股長、常常被老師指定去參加比賽，因此就算沒有特別學過畫畫，但過人的天份從小就嶄露無遺，平時則會透過展覽、書籍去磨練自己的繪畫技巧，並且透過實踐去深化習得的技能，以這樣的方式持續在美術的這條路上精進自己。

「大學畢業後去出版社當美編，只是當時電腦還不發達，

很多東西多是手工，和現在的編輯很不一樣；之後就去藥廠工作，也因為工作的關係去進修法學碩士，但就算忙於工作比較少時間創作，還是會維持一定的畫畫習慣，有靈感也會記下來。」

回想起來，當初大學畢業前的接案經驗，是最接近創作的時候，而轉往藥廠工作之後，則是開始進修自己的繪畫技巧，去參加社團、或是去大學旁聽，學習更多的媒材、風格、繪畫的流派等等，也是在這段期間認識了很多的老師，漸漸磨練出了一個自己比較喜歡的風格，讓過去只會畫線圖的她，開啟了一個嶄新的世界。

而除了繪畫之外，賴老師同時也在進修自己的瑜珈，「這是一個就算是不喜歡運動、不喜歡流汗的人都絕對會喜歡的運動，不受時間、地點、空間的限制，只要有一個瑜珈墊就可以進行，在這樣的過程中去舒緩壓力，放鬆與認識自己的身體。」

但在藥廠當了 10 年的上班族之後，賴老師開始想要突破自己，不再想只是當一個單純的上班族，因此這就成為了人生中一個很重要的轉捩點，當時的賴老師完全不管周圍人的質疑與反對，改變對她而言是勢在必行的決心，缺的不是

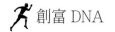

勇氣，而僅僅就是跨出那麼一步，於是就辭了工作，準備瑜珈證照考的同時，漸漸往美術工作室、社大教學的方向前進。

效法不自我設限的人生榜樣

接著，賴老師也提了一些影響了自己很多的人，第一位是大學的系主任，「當時，我們每一個人都要上台去小演講，系主任除了訓練演講者，更注重台下學生的學習，所以就會要我們寫出台上的人的 3 個優點，不要寫缺點，而且要具體！」因而在待人、教學上面備受啟發，也間接影響後續在社大的教學。

「對我們來說蠻有意義的，因為我們是成人教育，或許有些人有想學的東西，但是小時候家裡環境不允許，而長大了開始有經濟能力了，就會想圓自己的夢想，所以對於社大的同學而言，老師有時不是要讓他們非常鑽研於技巧，而是要適時地鼓勵他們，讓同學們樂在畫畫。」

另外賴老師也說，因為父親經商的關係，小時候全家人一起生活在阿根廷，直到國小才回到台灣，也是那段南美洲的時光，影響了她面對新事物的態度，「小時候我們家移民去阿根廷，住在農場裡頭，就會和年紀比我長的小朋友玩，

他們其實 10 幾歲了，而我還沒上幼稚園，所以年紀真的差蠻多，他們會問我會不會玩跳棋、象棋、五子棋，記得當時媽媽回應他們教就會了！所以大家也不管我會不會一起玩幾次自然就會了（笑），於是當時就有一個觀念，就是甚麼東西只要學就會了，和年紀沒有太多關係。」

此外，在家庭教育中，父親的角色也是身教中很重要的部分，對她而言，父親就像是一個燈塔般的存在，總是不畏懼任何陌生領域就勇往直前的精神，也影響了她勇於追求人生理想的樣貌，「就像我爸爸，在台灣有事業在阿根廷也有，但回台後又開始是新的事業，一直轉換跑道，但他其實做甚麼像什麼，都經營的很好，有專業又敬業。」

227

藝術生活美學

‧臉書：https://www.facebook.com/rosita.artlife/

謝·晨·彥·博·士

進入全球百大企業「輝瑞」藥廠上班，想必是許多生技領域的人才找工作時候的目標，甚至有人將其視為發展事業的舞台。但在這個產業經歷十個寒暑的賴美渝老師，還是決心放棄這份穩定的高薪工作，創立了「美學生活藝術教室」，正是因為從小對繪畫創作的熱情，在她進入職場工作後也不曾遞減。

「我們的生活，不應被任何的框架所束縛。」這是和賴美渝老師訪談時，她所傳遞給我最直接的想法。賴美渝老師並非美術科班出身，但對繪畫抱有強烈的熱情。這份熱情驅使她不斷運用業餘時間去學習繪畫的筆法、用色等各種專業技巧，並在融會各家畫派所長後，創立了自己的繪畫風格。

其實在這本書中，有不少受訪者都是先就業，再出來創業。我們發現這些受訪者都有一個共通點，就是一旦他們確立目標，不管周遭是反對還是支持，他們都會一步一步地努力朝著目標前進，最後將其付諸實踐。

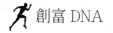

Make a living … Living

《專訪－環宇全球有限公司 張敦翔》

環遊世界一直是許多人心中的夢想，想著能走過午夜的巴黎、下雪的北京，甚至橫越漫天荒蕪的撒哈拉沙漠，然而現在這些都可以不再只是你的 Bucket List，而是開始成為事業與生活中的一部分。

Make a living … Living

張敦翔，目前任職於環宇全球（WorldVentures Hong Kong），「Make a living … Living，把生計變生活，將生活融入事業！」是他們希望帶給大家的全新企業經營型態。

WorldVentures 在美國創立已久，近幾年才引進入台灣，目前積極推行在地生活體驗，希望成立最好的生活俱樂部，

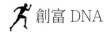

讓會員享受到最道地的台灣味;另也舉辦多樣化的公益活動,幫助許多弱勢孩童,以善盡企業的社會責任,並達成使世界更美好的承諾。

揮別軍職,以旅遊回歸興趣

雖然張敦翔以前從事職業軍人,但他的個性就是喜歡到處走走看看,而因為在軍中沒有自由,所以就毅然決然辭掉軍職,開始新的生活,「當職業軍人的時候,因為有很多的任務、戰備,也要輪流值班留守,所以一年就貢獻給國家至少一個月以上的假期,我們常笑說我們的假都休不完。」

曾經因高壓的工作而忽略身邊的人,也因此非常希望退伍後可以有更多時間陪伴父母、與家庭,而寰宇全球正巧就提供了他兼顧自主創業、與照顧家人生活的機會。「在旅遊業創業,家人一開始也是很反對!但當我來到這裡之後,就開始有家庭旅遊,漸漸地和家人的和諧度就更高了。」

生活才是真正本業

「公司像是一個新型的旅遊平台,以半自助的形式,幫你安排好飯店,讓你不用全程跟團,也免除無謂的消費,因

此你只要出現就好，其他的都會幫你處理好，而且是超值的價格，同時又可以賺錢。」張敦翔說。

「要找客戶的話，我們的模式不是說直接招攬，就是我們真的去實踐，可以將旅遊與生活結合在一起，人家因為看到你這樣的生活型態而被吸引，這是很新的商業模式，我的商業模式，就是花我原本要花的錢，賺我原本賺不到的錢！」

他認為，重要的是建立起一個生活的樣板，就像是一個模範，這樣一個享受生活的狀態，自然就會吸引到別人，也因此現在的他，就是一邊兼顧生活、一邊兼顧工作，「像我現在很常不在台灣，我在旅遊就是在賺錢，我們是以生活維生，不是為了錢去工作，生活才是真正的本業！」

此外，他也提到，公司對於行程的品質都是有嚴格的控管，甚至如果在訂購行程 7 天內找到比我們更便宜的價格，承諾全額退款，免費招待本次行程，這些就是公司很有自信的地方。

「我們在旅遊的過程中，就將真正的本質分享給大家，就是要享受旅遊的內容，畢竟住、吃得好不好就是立即的感受。」重點是要快樂，旅遊業就是以提供快樂為最大的宗旨。

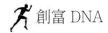

用旅遊紀錄美好生活

接著他分享了這些年來旅遊的難忘故事，「像我們的旅程像是半自助旅行，每參加一次旅程，都會遇到來自世界各地不同的人，當時從越南轉機的時候有遇到一位來自日本福岡的女大生，她那時去交換學生，就因為這樣認識了，現在也都還有互動（笑），但重點還是難忘吳哥窟的場景啦，吳哥城都是用石頭雕砌非常精美，日出也是必看美景，電影古墓奇兵也在這的塔普倫寺拍攝，這神秘國度真的讓我印象非常深刻，有機會還想再去一次。」

以領導力快速提升自我

而其實創業需要很大的資金，如果沒有資金、技術、人脈的話將會很難成功，但環宇全球提供給團隊很大的支持，讓大家不用投注很大的資金，就可以在公司內部創業，「在我們這領域裡面，所投入的資金不多，但是很容易就可以回收，重點是如果有空杯的心態去吸收。」

「我們就是要不斷地學習，有很多東西，像是如何經營團隊，如何去做招商、網路行銷等等，這些都是很重要的一環，不可或缺！目前的團隊有兩百多人，大家都來自世界各

地！所以接下來就是要透過網路做全世界的生意，畢竟我們的團隊有來自世界各地的成員。」

但是這中間，也會遇到與夥伴間的理念不同、前進速度不一致的問題，而對張敦翔而言，反正機會就是只給願意努力的人「其實我們很希望幫助夥伴一起上來，但是就會有些人覺得我們夠了，那不願意去學習，我覺得如果連賺錢都要人家逼你的話，我就不會強迫你，因為這是最基本的，如果你加入這樣的旅遊俱樂部，但是沒有繼續的話，我不知道你為甚麼要加入？」

全世界的夥伴，全世界的激勵

環宇全球提供的課程，讓想要在公司內部創業的人感到很安心，此外也會有定期的培訓，以激勵各位員工的士氣「因為公司有很好的培訓和輔助的工具，每一年我們會在各大洲，至少都會開 3 次以上的培訓，年初會有動力大會，主要是激勵大家，如何去經營你的生意；也類似新兵訓練的模式，讓你去按表操課。」對他來說，可以透過這些培訓激勵自己、也開拓更寬廣的視野。

當中也有一個案例，令他印象十分深刻，「特別是一位

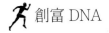

南非的領袖，現在大概 25 歲，在我們的公司待到上到富比世封面，他就是有一個很強烈的信念要成功，雖然身邊的人都一直力勸他不要繼續做了，但是他還是非常堅強，每天就是這樣子做同一件事情，我們說簡單的事情重複做，所以就是利用這樣的系統，打造他的成功。」

此外，公司目前也在網路的經營上不遺餘力，「在網路上搜尋，都會有公司簡單的影片，看完就可以幫我們宣傳，公司開發的軟體裡面有全世界旅遊的景點，都有很多詳細的資料！其實我們會員有不同的等級，旅遊可以玩得很享受，也可以累積自己的事業。」

在未來，張敦翔也希望繼續朝創業的路上邁進，希望能加強自己各方面的能力，提升自己的生活，達到更高的地位「在我們這個世界會有我們的目標，International Market Director 像是國際主管的概念，每個月會有車子補貼、房屋津貼，公司會提供很好的條件，現在的目標就是以這個方向走。」

環宇全球

・官網：http://maxwelltw.dreamtrips.com/refer

採訪後記

謝・晨・彥・博・士

　　每次打開敦翔的臉書，總是會看到他在世界各地瀏覽名勝、享受美食，不難看出，他的生活過得相當多彩多姿。通常臉書會有這麼豐富的旅遊照片，想必是個喜愛旅遊的生活家。但是深入了解過後才發現，敦翔竟然已經把旅遊事業的發展，融入到自己的生活當中。

　　環宇全球有限公司（WorldVentures Hong Kong）是一個把旅遊和生活結合在一起的新型態平台。透過平台上的旅遊行程，除了可以到處走走看看、接觸各國文化、認識新的朋友，還可以藉此獲得事業推廣的收益。原本就喜愛到處旅遊的敦翔，加入環宇全球後，可以說是如魚得水。

　　創業過程中總有許多新的事物，新的工具，或是新的資訊，需要去學習，對於敦翔來說，學習本來就是生活的一部份，更何況對一位旅遊達人來說，「嚐鮮」根本就是家常便飯。時常保持空杯的心態吸收新知，相信我們的生活也可以過得像敦翔一樣多采多姿。

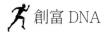

望以宏觀心態搭建創新舞台

《專訪－私募基金投資長梵心》

　　對於很多人來說，股票市場其實也是一種圍城，城外的人想衝進去，城裡的人想逃出來，畢竟投資失利的痛，並非人人所能承受，但獲利時的激動又常會令人忘卻當初慘賠的教訓，因此就在股票的市場裡載浮載沉，渴望一夜致富，但通常還是慘賠離自己最近。

　　而關於投資歷程的故事，或許交由梵心（林治瀚）來說，是最適切不過了，一場賠掉 1700 萬的教訓，就是他的投資市場主題曲，2014 年甚至也出了一本《我用操作寫歷史》，書裡要告訴大家的不是迅速獲利的方法，而是面對市場起伏的心法，因為對他而言，唯有秉持住原則，才是在股市中長久生存下來的法則。

正確心態建立投資基礎

《我用操作寫歷史》一書，梵心毫不藏私地告訴大家，多年以來他在股票市場的交易心得，希望能將正確交易心態、操作的觀念、與面對問題的心路歷程分享給大家。「貪即是貧，貧即是貪，沒有基本面支撐的技術分析無用。」藉由這本書，讓有興趣的讀者可以了解成為專職投資者所需要的心理建設。

其實梵心成為專職的投資人，已有超過 10 年的經驗，歷經過去的金融風暴、網路泡沫、金融海嘯等洗禮，至今仍是金融市場裡穩健的身影，對他而言，每一次的風浪，都是下一次高點的開端；另外，在 2010 年則開始成為財經部落客，經營「我用操作寫歷史」自媒體，以台股周報的形式，分享多年下來在個股與產業的研究心得，更因為多次的精準預測，梵心也被粉絲高喊為「股神」一般的存在！個人座右銘是「堅持就不放棄，放棄就不回頭」。

深水裡面的風險預測

一直以來就擁有多年的投資實戰經驗，後來因為女兒的出生，而與老婆老協商，轉而在家獨自操作投資！他也說自

己是位居家男人，除了做交易的工作外，幾乎不太應酬，但在 2008 年的金融海嘯時，遭遇了人生很大的挫折，「因為前面的泡沫週期，對這領域沒有太多的戒心，而自己操作失利後，慘賠超過 4、5 千萬，前面賺的都還回去，也因為這樣想轉而創業。」

但因為老婆的工作穩定，也支撐著梵心走過低潮期，在休息過 2、3 年之後，轉向對岸發展，在台商朋友的引薦之下，藉由過往的法人經驗，協助對岸金融、資本市場的發展，「大陸在 2011 年前後，金融和資本市場開始發展，所以會需要有我們這樣法人背景經驗的人去協助他們，當時也算是邊玩邊考察。」

「發現大陸對金融領域的專家很禮遇，感覺好像連走路都有風，所以也認識了內地的證券期貨業者，也包含所謂的私募基金！其實在 2011、12 年大陸還算沒有正式的基金、或是私募的市場，是一個比較封閉的國家，尤其是金融的管制很嚴謹，與台灣有很大的不同，所以我們常說他們水太深，因為看不清楚裡面有什麼東西，好的壞的都不知道，也因此有很大的風險。」

但是梵心選擇迎戰大陸的市場，更發現當中潛藏的商

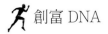

機，「當時的政策就是四點先行，他們其實也沒有甚麼規範，制度沒有太多的限制，而近幾年的進步更可以說是跳躍性地和國際接軌。」

梵心：清淨心

而說到梵心別名的由來，他說，梵這個字在印度的佛教典籍裡，是清淨的意思。原本想著在 35 歲就可以退休的他，在遭遇金融海嘯的衝擊後，頓時陷入人生的低潮，但透過佛學的力量，去沉澱自己的心境「在人生算是低潮的時期，讀了很多典籍，像是大藏佛傳的佛教典籍等等，藉由看經書脫離那段時間。」現在，梵心的最大興趣就是吃美食，對他而言是再紓壓不過了。

以經驗傳承，鼓勵台灣年輕人

現在的梵心，也積極地自己的經驗傳承下去「我們希望引導台灣人，或者是對交易有想法或是有熱情的人！畢竟當初在剛創業的階段沒有團隊，沒有資源，因此也曾去過台科大的社團當指導老師，當時就是想要找人才，建立一個屬於自己的交易團隊。」

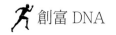

「但在建立自己的團隊後，就會想交接給年輕人，畢竟我快 50 歲了，心境和體力上的負荷不能像過去一樣，做這麼多年還是會累，所以就想交接給下面的人做交易。」也很希望台灣的年輕人能多培養自己的視野與競爭力，畢竟對岸的狼性競爭已經是我們無法想像的殘酷了。

另外，梵心也直指台灣往往過於保守，而無法和國際接軌「像是老虎證券當時到台灣申請經營證券的業務，卻被台灣機關打回，說是違法的！但是之後已經在 NASDAQ 上市了，其實台灣有許多金融法規仍停留在過去的階段，必須要做適度的修正和調整，不然也許再過 5 年，台灣金融業的競爭力會整體下降。」

所以未來，更希望能夠積極將業務拓展出去，朝向東南亞發展，而中國、香港等地也已經都有一定的資金規模了，但台灣目前則偏重教學層面，畢竟對他而言，公司的發展不應該只受限於台灣本地，而是要放眼全球市場。

宏觀心態搭建創新舞台

而在看見大陸與台灣的區別後，梵心認為心態是很重要的關鍵，尤其是創業者，一定要有宏觀的心態，才能沉穩地

242

去面對每次的起落，一個人面對失敗的心態，往往就相當程度決定了他通往成功的速度，因此在成功之前，要試著去學習接受新的人、事、物，後續才會出現轉機。「我覺得現在很多創業者一定要有一個觀念，就是成功不必在我！一路上的過程裏頭，成功一定要有創業夥伴，而不是一個人做完所有的事情。」

「在內地，年輕人都會有很多自己的想法，會有一個精實的團隊，但台灣的年輕人也不是沒有想法，只是就會主觀的以個人想法先作為考量，其實我覺得創業的階段不管是找人、找錢，你都不可能靠自己就完成這些事情。」

而在訪問的最後，梵心也鼓勵各位投資人，要有隨時就能面對失敗、重新歸零的打算，不要輕易就將交易、投資與賺錢畫上等號，而是要兢兢業業地面對自己所走過的路，畢竟在這過程中，實在是太辛苦了，無法單靠一個人就走完全程，而是要學著去感謝那些願意幫助自己的人。

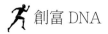

梵心

· 網頁：https://www.wearn.com/blog.asp?id=76412

謝·晨·彥·博·士

「世界這麼大，大家應該多出去走走看看。」海外私募基金投資長林治翰，用這句話勉勵台灣的年輕人。雖然現在網路資訊相當發達，但眼見為憑，林投資長希望大家可以到海外多看看別人的發展狀況，了解國際的產業趨勢。

長年在金融投資領域的林投資長，親身見證了中國大陸經濟的爆發性崛起，也感慨台灣法規過於保守無法與國際接軌。也因為自己實際感受過這樣的落差，他希望台灣年輕人，能擴展國際視野比較出台灣的長處與不足之處，也讓自己未來的發展道路，不要只侷限在台灣。

出門在外靠朋友，出去外面打拼也是一樣。一個人的能力再強，也比不上一個團隊要來的有效率。除了要有開闊的視野，林投資長也希望年輕人若選擇走在創業這條道路上，一定要找到志同道合的夥伴一同前進，這條路才能走得久、走得遠。

國家圖書館出版品預行編目資料

創富DNA／謝晨彥著. --初版.--高雄市：豐彥財
經，2020.4
　　面；　公分
ISBN 978-986-96923-2-8（平裝）
1.創業 2.成功法 3.個案研究
494.1　　　　　　　　　　　　109002506

創富DNA

作　　者　謝晨彥
文字編輯　邱宜婷
發 行 人　豐彥財經
出　　版　豐彥財經股份有限公司
　　　　　高雄市苓雅區四維三路80號4樓之1
　　　　　電話：（07）3316-578
設計編印　白象文化事業有限公司
　　　　　專案主編：林孟侃　經紀人：徐錦淳
經銷代理　白象文化事業有限公司
　　　　　412台中市大里區科技路1號8樓之2（台中軟體園區）
　　　　　出版專線：（04）2496-5995　　傳真：（04）2496-9901
　　　　　401台中市東區和平街228巷44號（經銷部）
　　　　　購書專線：（04）2220-8589　　傳真：（04）2220-8505
印　　刷　基盛印刷工場
初版一刷　2020年4月
定　　價　580元